Cucina.mente

Ottobre 2015

Menù *letterario* tipico romano

CLAUDIO GARGIOLI

A Gina!
Collega [illegible] che,
una volta letto il
mio libro, diventerai
un'amante della cucina
romana!!
Con
simpatia!
Claudio!

atmosphere libri

MENÙ *LETTERARIO* TIPICO ROMANO

Via Seneca 66
00136 Roma

www.atmospherelibri.it
atmospherelibri.wordpress.com
info@atmospherelibri.it

Redazione a cura de Il Menabò (www.ilmenabo.it)

Traduzione dall'italiano di Denise Muir

Si ringraziano Alberto Rinaudo per la concessione delle sue illustrazioni, Tommaso Ausili/Contrasto e Andrea Federici per le fotografie concesse, il maestro Luigi Serafini per averci permesso di pubblicare il logo di *Armando al Pantheon*.

I edizione nella collana *Cucina.mente* luglio 2014 - II edizione gennaio 2015

ISBN 978-88-6564-080-7

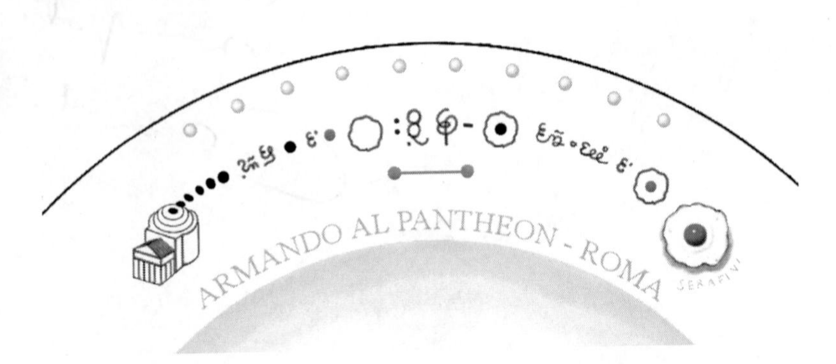

Al mio papà Armando da cui tutto ebbe inizio

"Il buon cibo è il fondamento della vera felicità".

Auguste Escoffier

"Mangiare è una necessità. Mangiare intelligentemente è un'arte".

Francois de La Rochefoucauld

"La magnata e la dormita,
massimamente in una certa età,
so' l'uniche du' gioie de la vita.

La sola differenza è questa qui:
che pure si ciài sonno pòi magnà,
ma si ciài fame mica pòi dormì!"

Aldo Fabrizi

Prefazione

Roma, Roma, Roma, core de sta città... Ecco, mentre leggevo le pagine di questo libro mi sono ritrovato a canticchiare questo motivo nella testa. Roma non è la mia città, non sono romano "da sette generazioni", ma è la città che ho scelto come mia oramai trenta anni fa, rapito dalla storia, dalle bellezze, dai tramonti dardeggianti e dalle albe struggenti, ma soprattutto è stata l'idea della romanità, quel misto cialtrone e un po' guascone di core e cinismo, la velocità della battuta fulminante, il disincanto con cui si guarda al mondo che mi conquistò. Ecco Claudio Gargioli o "blecchescief", come lo chiamo, è questo, uno dei pochi presidi di romanità, in una città che in questi anni ho visto cambiare e diventare più internazionale e cosmopolita. In via dei Crescenzi non si mangia solo cucina romana di gran classe, ma ci si immerge in quella Roma sparita.

Le pagine di questo libro volano via in un soffio, con quella leggerezza e un pizzico di ingenuità, che sono la cifra più bella della cucina di Armando, una cucina artigiana, faticata dal cuore antico e soprattutto vera. Sapori che riconosceresti tra mille, sanno di mamma e pranzi buoni, profumano di territorio in una coincidenza magica tra piatto e paesaggio. Un ottovolante tra volgarità e sublime, tra alto e basso, colto e popolare che è la cifra stessa della cucina romana.

Seduti a questi tavoli stretti, vedi sfilare un campionario di volti e personaggi che lasciano intravedere mille storie. Ogni tanto, quando ho tempo, mi piace sedermi solo in sala e concedermi un piatto e guardarmi in giro e immaginare storie e situazioni per ogni ospite, così mi sembra di vederli: il conte Bracci, Mino, Pietro, il Maestro Serafini e così via, alcuni li ho conosciuti, altri no, ma sono talmente vivi e veri nel racconto di Claudio che mi sembra di conoscerli da sempre. C'è molto Magni nella Roma raccontata, ma anche l'occhio da provinciale del Fellini dello straordinario e visionario Roma, una capacità da narratore, di cogliere i dettagli e di tratteggiare in pochi gesti, quasi pittorici, le caratteristiche dei personaggi. Storie di fama, di successi, di meschinità e rovine, ma sempre viste con l'occhio caustico ma gentile dell'oste, che sa tutto capire e comprendere. L'oste non giudica e la trattoria è il luogo dove si può essere se stessi senza timori e preoccupazioni, l'oste è il nostro complice, pagato per questo, ma anche un amico bonario e condiscendente, custode delle nostre debolezze, dei nostri gusti: sa se vogliamo un piatto piccante o bruciato, conosce i nostri amici, ci vede romantici o arrabbiati, paterni o seducenti, a secondo delle occasioni, ci guarda e ci vede per come siamo, in tutta la nostra umanità, del resto cosa c'è di più umano della fame?

C'è anche la cucina di Armando in questo libro: ricette che urlano romanità, quella alta della curia, con le sue ricette ricche e opulente, quella testaccina del quinto quarto, quella storica apiciana, la cucina romana è un universo, fatto di mille anime e sfaccettature, Claudio le conosce una ad una, gli dà del tu e ci gioca, con la sicurezza che solo una grande conoscenza regala. Parlando del padre lo definisce un cuoco autodidatta, ecco questa definizione è giusta anche per lui, vederlo al lavoro nella cucina a vista è una gioia, gesti efficaci, misurati, una velocità di esecuzione che ha dello stupefacente. Una cucina artigiana, antica e favolosa, che non si impara nei banchi o in stage per il mondo, ma a bottega, giorno dopo giorno, come tutte le fatiche artigiane. Tutto cucinato al momento, tutto espresso, che sa di fiamma e padelle, incredibile, in un mondo dove l'alta cucina è figlia della linea, della codificazione, di gesti sempre uguali, la cucina di Armando è tutta efficacia, ricette che resistono alle generazioni, ma sempre diverse e forgiate dall'attimo, andrebbe preservata come una specie in via di estinzione, come memoria di quando il cucinare era occhio e guizzo.

Provate a rifarle le ricette di questo libro, io l'ho fatto, scoprirete sapori antichi e dimenticati, confortanti come solo il cibo sa essere, come lo sanno essere solo certi cibi che profumano di casa e focolare, però ricordatevi che mangiati qui in salita de Crescenzi, nel "core di Roma", dalle mani sapienti di una famiglia di osti romani, avranno un altro sapore, unico e antico, come quello di queste pagine.

Alessandro Bocchetti

Una cucina, una vita, le ricette.
Armando al Pantheon

È dentro la cucina che scrivo queste mie righe. È qui, nel calore della mia cucina, che nacque tutto più di mezzo secolo fa. E ora, circondato dalla presenza spirituale di Armando, dal rumore dell'aspiratore e dallo sfrigolio delle padelle sui fornelli, ripercorro la storia di *Armando al Pantheon*, una storia di odori, di colori, di sapori.

Tutto ebbe inizio nel 1961. Mio padre Armando aveva in gestione una piccola pizzeria in via dell'Argilla, dove qualche anno prima avevano girato il film *Guardie e ladri* con Totò e Fabrizi, alle spalle di Gregorio VII. Veniva da un'esperienza decennale nel campo della ristorazione, prima come cameriere da *Lupelli* al Mancino e poi come gestore e cuoco in via Carlo Alberto, un ristorante che diventerà famoso negli anni Ottanta con il nome di *Agata e Romeo*.

Agli inizi degli anni Sessanta la pizzeria andava bene, ma l'ambiente era particolare, turbolento, da Far West. Armando non era soddisfatto e, parlando con un suo vecchio cliente dell'epoca di via del Mancino, Salvatore detto il Santaro, perché vendeva oggetti sacri proprio di fianco al Pantheon, venne a sapere che in Salita de' Crescenzi si vendeva la licenza di un piccolo ristorante decisamente da rilanciare.

Armando non ci pensò su molto. Incontrò i proprietari, e tra una montagna di cambiali e una stretta di mano "vera", iniziò l'avventura di *Armando al Pantheon*, brutto anatroccolo, nato quasi per caso, che adesso, dopo oltre cinquant'anni di vita, è diventato un vero punto di riferimento a livello mondiale della cucina romana, che va dall'apiciana a quella del *quinto quarto*.

Ma andiamo per ordine.

Armando, appena mise piede nel locale si rese conto che, così com'era organizzato, non poteva andare bene. Non poteva mettersi in concorrenza con i locali storici che erano ben radicati nel territorio intorno al Parlamento e al Senato. Un piccolo esercito di ristoranti più o meno di lusso, che accoglievano parlamentari e la crema della politica di allora.

Armando risistemò tutto. Rimodernò da solo il localetto, lo trasformò in una vera osteria con cucina, dove la gente, soprattutto operai, impiegati e studenti, poteva mangiare un piatto di amatriciana, una pasta e ceci o un pollo coi peperoni e bere un mezzo litro di vino dei Castelli, scherzando, ridendo e cantando, senza spendere cifre folli. In terra segatura e cicche, cucina a vista e accessibile a tutti, ma proprio a tutti, tanto che spesso, in particolar modo gli amici, il piatto se lo andavano a prendere da soli, magari fregandosi quello di qualche altro cliente che lo stava aspettando seduto al tavolo.

Erano anni goliardici, allegri, nonostante i sacrifici di ore lavorative interminabili, chiusure settimanali assenti e continue sfide quotidiane.

Con Armando lavoravano il fratello Renato e il cognato Tonino, ma entrambi cambiarono attività dopo un paio d'anni. Mia madre lavorava in Vaticano, ma la sera anche lei veniva ad aiutare papà. Morì giovane a quarantatré anni nel 1968, lasciando nei nostri cuori un vuoto immenso. C'era pure una sorella di Armando, Marcella, che in cucina lavava i piatti a mano (la lavastoviglie da noi fu un tabù fino all'inizio degli anni Ottanta).

Io entrai in scena nel 1973. Allora frequentavo l'università, facoltà di Scienze politiche, e stavo seguendo un corso da programmatore all'IBM su via Cristoforo Colombo, quando mio padre mi chiamò per sostituire "provvisoriamente" un cameriere che non si era presentato a lavoro.

Una folgorazione! Come Saulo sulla via di Damasco, entrai in quel mondo, fino ad allora frequentato solo come figlio di Armando, e ne restai folgorato!

Mi innamorai del luogo, della gente, della vita, dei soldi che cominciavano ad affluire nelle mie tasche per poi essere spesi in modo spensierato. Conobbi tante persone. Belle e meno belle. Artisti, scrittori, attori, politici. Mi sentivo parte di una realtà tutta da scoprire e godere.

In questo mondo arrivò presto anche il mio fratellino Fabrizio, tredici anni, che dopo la scuola, veniva ad aiutare in sala, togliendo piatti e portando i bicchieri e le posate.

Armando stava in cucina. Armando era un grande cuoco. Autodidatta, senza fronzoli. Cucinava la vera romanità. Una romanità che veniva da lontano, dalla madre e prima ancora dalla nonna. Una cucina fatta di materie prime eccellenti e semplicità di esecuzione.

«È la nettezza dei sapori che devi mettere in un piatto!» mi ripeteva ogni volta che lo criticavo perché allora trovavo le sue ricette troppo facili. Ma aveva ragione! Adesso che sono un cuoco affermato riesco a capire cosa volesse dire quella sua frase.

Lui metteva nel piatto la vita, la sua gioia di vivere. La sapienza e il ricordo di una storia familiare unica, intensa, nata tra i vicoli di Roma centro, tra via Giulia e Campo de' Fiori, tra i banchi del più bel mercato del mondo, intrisa di odori, rumori, grida di venditori e chiacchiericcio del popolino. Ricette riportate a voce. Da giudei, cristiani, romani, cispadani, laziali che vivevano in quella Roma così bella e provinciale che ormai purtroppo si è persa per sempre.

Cominciai dalla sala come cameriere, ma poi all'inizio degli anni Ottanta, già sposato e padre di due delle mie tre figlie (l'ultima arriverà nel 1987), attratto in maniera assoluta dalla cucina, diventai il suo aiuto. Lo guardavo cucinare, imparavo i suoi delicati trucchetti, assimilavo la sua filosofia, rubavo con gli occhi.

Intanto leggevo e studiavo. Scienze politiche restavano il mio cruccio, abbandonai gli studi quando ormai ero quasi in dirittura d'arrivo, ma non potevo perdere tempo dietro a materie che non mi interessavano più. Ed era meglio un cuoco vero che un dottore finto.

Armando al Pantheon, nel frattempo, si trasformò. Una lenta ma continua trasformazione. Via la carta da sopra i tavoli e la segatura dal pavimento. Bicchieri e stoviglie più belle. Sughero alle pareti e bottiglie di vino sulle mensole. Nella seconda metà degli anni Settanta la gente era sempre quella, un misto tra il trasgressivo popolino operaio e l'intellettuale di sinistra.

Anche Sartre passava da "Armando" ogni volta che veniva a Roma. Non disdegnava lo schietto vinello dei Castelli Romani, e chissà se negli anni della sua maturità qualche importante riflessione non sia nata proprio tra i nostri tavoli davanti a una fojetta di Frascati.

Era anche il periodo degli anni di piombo. All'epoca, vidi gente come Curcio e compagni frequentare tranquillamente il nostro ristorante.

Ma torniamo a noi, anzi a me. Io proprio in quel periodo, come ho già detto, passai dalla sala alla cucina. Armando non insegnava, era come un video che dovevi scrutare e seguire. Se le cose andavano bene, restava in silenzio con un sorrisetto nascosto, se invece andavano male, quando gli facevo assaggiare qualcosa cucinato da me, frasi come "da carceratte" erano all'ordine del giorno.

Era bravo papà mio. Trasformava la banalità in arte. Io nel frattempo leggevo libri di cucina e imparavo da lui la vera cucina romana, quella di mia nonna, quella di sua nonna. Era il periodo in cui cercavo una mia strada. Sperimentavo con passione e curiosità tutto quello che mi capitava tra le mani e sotto gli occhi. La cucina romana apiciana mi attraeva in maniera quasi paranoica. Ero alla continua ricerca di antichi sapori, di spezie e odori ormai scomparsi. Il garum, il mulsum, il silfio, il levistico, la ruta ortense, il kummel erano per me non solo nomi astrusi ma vere e proprie fonti di sperimentazione.

Nacquero in quegli anni – eravamo nella seconda metà degli Ottanta – piatti come la faraona ai funghi porcini e birra nera e l'anatra alle prugne, che nonostante il passare del tempo non sembrano invecchiare, e ancora oggi vengono riproposti con grande successo nel nostro menù.

Ma non era solo Apicio a farmi da guida, in quel periodo scoprii anche Bartolomeo Scappi e la sua filosofia di cucina; mi cimentai in alcune sue ricette, poi successivamente abbandonate (ricordo che la crostata di alici fu una delle prime sperimentazioni, seguita da altre di ormai persa memoria).

Ma la cucina romana, quella di mio padre, era quella che più attirava la mia esuberanza giovanile. La coda alla vaccinara, la trippa, la pajata... tutta la cucina del cosiddetto "quinto quarto" diventò la mia fenice.

Sperimentai variazioni, incespicai nell'assurdo e poi, proprio come la fenice, risorsi dalle mie ceneri ed eseguii, finalmente convinto di quello che andavo facendo, una cucina romana essenziale, pulita dai grassi, digeribile, imitando in questo il buon Bartolomeo Scappi, che fu il primo assertore del mangiare sano ed esuberante per i suoi sapori.

Fu così che nacquero la coratella racchiusa in un cilindro di guanciale e carciofo alla giudia scomposto; le animelle con piselli, marsala stravecchio di Marco de Bartoli e uova di quaglia; i filetti di cernia su letto di patate, cicoria, pecorino romano e rosmarino; la zuppa di farricello, salsicce, guanciale e pecorino, da me riproposta in menù verso la fine degli anni Ottanta, quando a Roma ormai se l'erano dimenticata tutti.

Armando si ritirò negli anni Novanta, quando aveva settant'anni e soffriva di un principio di Parkinson, la malattia che lo accompagnò fino alla morte dieci anni dopo.

Restai solo con mio fratello. Io in cucina, lui in sala e a tenere i conti. Armando ci mancava, ma i suoi consigli erano ancora preziosi. Gli chiedevo spesso supporto e consigli quando dovevo preparare qualcosa di nuovo. E lui, anche se malato, non si tirava mai indietro perché il fuoco di questa passione, che ormai ci univa per sempre, non lo abbandonò mai.

Il sabato veniva a pranzare con la sorella Luciana, ed erano in tanti a riconoscerlo, anche dopo tanto tempo che si era ritirato, e a stringergli la mano, congratulandosi con lui per la sua cucina romana, ancora intatta nel loro ricordo. Le polpette di vitella, il pollo al vino bianco, gli ossibuchi, ma soprattutto i piatti del venerdì come la pasta e ceci e il baccalà, adesso riproposto da mio fratello Fabrizio.

Armando se la rideva ed era felice. Ogni sabato era lì al suo tavolo in fondo a destra. Mi sembra di vederlo ancora oggi. Morì nel 1998. Grande papo, mi manchi tanto.

Arrivarono gli anni Duemila. A me e Fabrizio si affiancò mia figlia Fabiana, pupilla di nonno Armando, ed è proprio in sua memoria che decise di intraprendere la via della ristorazione con l'intenzione di dare un seguito alla storia di *Armando al Pantheon* e della famiglia Gargioli.

Intanto continuavamo a crescere. Il Gambero Rosso prima e lo Slow Food poi si erano accorti di noi stimolandoci a fare sempre meglio.

In quegli anni arrivarono per me anche alcuni riconoscimenti letterari. Non avevo mai abbandonato l'altra mia passione, quella dello scrivere, così nel febbraio del 2000 andò in scena la mia prima commedia, *Il ponte*, e due anni dopo con un racconto vinsi il premio letterario di Treviso "Dimensione donna". L'anno dopo la giuria del concorso letterario "Parole attorno al fuoco", mi insignì di un premio speciale per una storia di alpini. Ero euforico, un'altra commedia venne messa in scena perché vincitrice del premio letterario "La fabbrica dei sogni" al teatro Tor di Nona, e poi ricevetti una menzione speciale dal Premio "Cesare Pavese" del Grinzane Cavour. E poi arrivarono anche altri due prestigiosi premi del Centro Pannunzio di Torino: uno per un racconto, *Mastro Cesare e sua moglie Ida*, e l'altro, il Premio di Alta Gastronomia "Mario Soldati", per *Armando al Pantheon*.

Nel frattempo, da Armando, Fabiana portò una ventata di novità: lei e mio fratello Fabrizio si diplomarono presso l'AIS come sommelier professionisti.

Armando al Pantheon cominciò a essere conosciuto in tutto il mondo. Passaparola, guide, servizi televisivi. Diversi giornali, tra cui il Guardian e il New York Times, iniziarono a dedicarci articoli; in Giappone siamo adorati, e cominciarono a notarci e stimarci anche in Francia, soprattutto grazie alla visita di François Simon, critico di Le Figaro.

Arrivarono i "Due Gamberi". La mia cucina si era ormai evoluta. La tradizione romana, rispettata e innovata, andava a braccetto con i tempi. Riscoprii il bollito alla picchiapò, la lasagna alla Belli, che riuscii a estrapolare da una poesia del grande poeta romano, gli aliciotti con l'indivia (da una ricetta romano-ebraica), i tagliolini con ragù di baccalà in agrodolce, il rognone su purea di broccoli e guanciale croccante, l'abbacchio in bujone (da una ricetta dell'Alta Tuscia), le fettuccine con le regaje di pollo, l'abbacchio al forno con patate... e tanti altri piatti.

La mia *Torta Antica Roma*, ormai trentennale, era già imitata un po' in tutto il mondo, ma erano sempre più apprezzati anche i dolci di Fabiana e la cucina di mio fratello Fabrizio, che spesso è il mio vero e proprio alter ego.

Non mi dimentico del mio secondo Willy, grande lavoratore ed eccellente esecutore dei miei primi piatti; la piccola Letizia, definiamola collaboratrice di cucina; e poi, passando alla sala, dopo mio fratello che è un ponte tra cucina e sala, sopra tutti Mario, mio genero, instancabile, serio e posato, poi in sequenza: Fabio, Marco, Andrea.

Voglio ricordare anche quelli che nel corso dei tanti anni hanno collaborato con più o meno entusiasmo alle fortune di *Armando al Pantheon*, tra cui anche l'altra mia figlia Chiara Maria, che durante gli anni dell'università, due giorni a settimana, si veniva a guadagnare la paghetta lavorando come cameriera.

Eccoci ai giorni nostri. *Armando al Pantheon* in agosto si è dato una veste più adeguata alla sua nuova natura. Abbiamo rinnovato la sala, riscoprendo le travi a vista, il vecchio pavimento degli anni Sessanta, le lampade, le sedie e i tavoli. Un po' tutto è cambiato, eppure tante cose sono rimaste le stesse di tanti anni fa, vecchie e tranquillizanti.

È arrivato il "Terzo Gambero" dato alla tradizione. Primi a Roma nella storia. Sono arrivate anche la chiocciolina dell'eccellenza Slow food e la "Ruota D'oro" del Touring Club. L'Espresso, Repubblica e Il Sole 24 ore ci citano e ci valutano ottimamente; Il Messaggero e il Corriere della Sera ci dedicano articoli.

Insomma, siamo andati lontano da quando papà intraprese quest'avventura. Dove vogliamo arrivare? Di sicuro l'entusiasmo e la passione ci sono ancora, e non calano mai.

Certo, gli anni passano, ma noi siamo giovani dentro perché è la nostra cucina a essere giovane. E io, chef per passione, sono nato con lo stesso grande orgoglio nel cuore di questa magica città.

Mi tornano in mente immagini del passato, di me al fianco di mio padre, mentre Fabrizio se ne stava in sala e metteva a posto le sedie sotto i tavoli. Armando cucinava un pollo al vino bianco, io un'amatriciana. Uno vicino all'altro.

È ormai venuto il tempo di rallentare e ricordare.

Fabrizio, Claudio e Fabiana Gargioli

Il Conte Bracci

Lo chiamavamo il Conte per il suo portamento e la sua eleganza, ma non era un vero conte. Ernesto Bracci era un ex attore del cinema degli anni d'oro, quello di *Guardie e ladri* e *Roma città aperta*. Fu molto chiaro con mio padre: "Io prendo una pensione molto contenuta. Ci debbo pagare la camera in via dei Sediari. Mi ci debbo vestire e tutto il resto. A te, più di trentamila lire al mese per mangiare a pranzo tutti i giorni non ti posso dare. Fai tu."

Armando lo guardò un momento e gli strinse la mano. Il Conte Bracci entrò a far parte di quella famiglia bizzarra che era allora *Armando a Pantheon*. Il suo tavolo, il numero 8 di adesso, dopo oltre quarant'anni, conserva ancora il suo nome. Lo si poteva trovare tutti i giorni da mezzogiorno e mezzo all'una e mezza.

Era tutt'altro che tenero di carattere, e certe volte era anche prepotente e arrogante, ma ad Armando stava simpatico e spesso si divertiva a fargli piccoli scherzi come arrostire il peperoncino un po' più del dovuto, tanto da far tossire lui e gli altri clienti presenti, oppure dividere con altre ordinazioni la porzione di pasta che il Conte, intransigente, pretendeva di almeno cento grammi. In queste occasioni si alzava dal tavolo in tutta la sua imponenza e andava a ingiuriare mio padre fino su in cucina, suscitando le sue risate.

Il Conte mi voleva bene a modo suo; mi diceva che, visto che portavo il cognome di mio padre, se volevo potevo farmelo cambiare subito all'anagrafe e che tutti mi avrebbero capito e giustificato.

Alle due fette di pane casareccio dovevamo togliere la crosta, che non riusciva a masticare.

Un ultimo aneddoto. Un giorno si trovava su un autobus in via del Tritone e, essendo il mezzo molto affollato, fu spinto da una signora. Il Conte si voltò indispettito e la pregò di stare attenta. La donna gli inveì contro, suggerendogli che se non voleva stare stretto su un autobus poteva prendere un taxi. Il "Magnifico" dall'alto della sua classe la guardò con attenzione, squadrandola tutta, poi sbottò: «E cosa crede, che se potevo permettermi di prendere un taxi, aspettavo il suggerimento di una stronza come lei?!?»

Grande Conte Bracci, ovunque tu sia, sei uno di noi!

Eravamo nella prima metà degli anni Sessanta. Non voglio parlare né di politica né di storia ma soltanto di cibo.

Da *Armando al Pantheon* si mangiava romano. Pollo al vino bianco, trippa, coda e pajata, vitello arrosto con patate, bocconcini con piselli e polpette fritte o al sugo.

Di alcuni di questi piatti vi darò le ricette. Ricette semplici, minimaliste, basate rigorosamente sull'eccellenza delle materie prime, come era la nostra cucina di allora, sapori puliti, odori e aromi d'altri tempi.

Il Conte Bracci amava in particolare il vitello arrosto con patate.

Ricordo che quando cominciavano i primi caldi papà non amava accendere il forno di bottega per non surriscaldare la cucina, che all'epoca, non essendo fornita di un sistema aspirante come lo è adesso, tendeva a diventare un vero inferno. Allora, con una teglia di vitella e patate mi spediva dai fratelli Gizzi in via dei Pastini, i nostri fornai, per farla cuocere nel loro forno.

Dopo un'oretta, quando tornavo a riprenderla, la vitella ben rosolata era cotta al punto giusto, mancava solo qualche patata che i fornai, non resistendo al loro odore, mangiavano al volo ancora fumanti.

Da noi si gusta ancora il vitello come lo faceva papà Armando cinquant'anni fa!

Ecco la ricetta.

Vitello arrosto con patate

Ingredienti (per 6 persone)

1 girello di vitella da 1200/1500 g
1½ kg di patate (possibilmente di Viterbo o di Avezzano)
1 rametto di rosmarino
2 spicchi d'aglio
6 cucchiai di olio extravergine di oliva
1 goccio di vino bianco
sale e pepe q.b.

Se il girello di vitella non supera i 700/800 grammi, un normale forno a gas o elettrico è più che sufficiente per contenerlo. Certo, se fosse un bel forno di campagna, sarebbe meglio, ma non si può pretendere tutto, specie se si abita in un piccolo appartamentino di due stanze, fornito solo di un angolo cottura; comunque, se il girello non dovesse entrare nel vostro forno, fate come faceva mio padre: mandatelo a cuocere dal fornaio, se nella vostra zona ce ne sono ancora come quelli di un tempo.

In ogni caso, il vitello va salato e pepato, e in un paio di fessure dovete introdurre almeno due spicchi d'aglio e un rametto di rosmarino, quindi mettetelo in una teglia.

Ci vogliono una ventina di minuti perché termini la cottura, aggiungete un goccio di vino. Aggiungeteci da subito, a inizio cottura, le patate tagliate a spicchi grossi, che in quel sughetto di carne verranno molto saporite.

Che ve lo dico a fare, va servito tutto ben caldo!

Franco l'idraulico

Per Franco ci sarebbero interi capitoli da scrivere. Era alto, bello, fanatico, dal cuore grande, scansafatiche, nottambulo, amicone di tutti, somigliante a Gary Cooper, guascone e generoso, eternamente in jeans e canotta blu in estate e camicia di jeans in inverno. Si può dire veramente che ha fatto un po' la storia di Armando al Pantheon fino a tutti gli anni Settanta, poi se n'è andato che era ancora giovane, in un giorno d'estate all'improvviso, senza poterlo salutare.

Franco era l'idraulico del Pantheon, ma il suo vero ufficio non era quello ufficiale in via dei Pastini, dove c'era la moglie, ma da noi in trattoria, dove viveva buona parte della giornata. Le persone che avevano bisogno dei suoi servizi venivano a cercarlo da noi e non schiodavano fino a quando, terminata l'ennesima partita a scopone, non si decideva a seguirle fino a casa.

Nessuno si fidava a mandarlo via dall'origine del guasto quando adduceva la scusa di andare in magazzino a prendere dei pezzi mancanti, perché sapevano che non sarebbe tornato, così lo lasciavano sotto il controllo di qualche nonna o suocera o moglie con il pezzo da cambiare in mano e scendevano a comprarlo da "Cantini" o "Bora", i ferramenta più famosi di via Torre Argentina.

In difesa del nostro c'è da dire che se il problema era grave, insomma se dovevi girare per casa con il canotto, non se ne andava fino a quando il guasto non era riparato, però magari per rifinirlo, attaccare una maiolica o stuccare una traccia, si potevano attendere giorni e giorni.

Franco amava la cucina e spesso aiutava papà. In canotta, puliva le patate, sbuccellava i fagioli e qualche volta portava i piatti in tavola, uno spettacolo d'altri tempi. Una cosa del genere sarebbe inconcepibile ai giorni nostri... troppe norme igieniche, troppe paranoie, alcune giuste, altre esagerate. Ma a quei tempi nessuno moriva per le infezioni, la pajata non faceva venire l'Encefalopatia spongiforme bovina (mucca pazza) e la gente era allegra.

Franco faceva anche parte della società del "Cazzo", una società che distribuiva prestiti tra i suoi soci, che poi loro dovevano restituire con gli interessi che alla fine venivano ridistribuiti tra tutti loro, facendo in modo che ci scappassero anche un paio di cene sociali, di solito fuori porta, dove il cibo e il vino la facevano da padroni. Si chiamava del "Cazzo" perché durante queste cene i commensali erano soliti sistemare come centrotavola una scultura di forma fallica così, tanto per goliardia...

Ricordo che una sera, di ritorno da una cena a Monteporzio Catone, dove ero presente anche io, l'autista del pullman, un certo Ulderico, si mise al volante ubriaco fino all'inverosimile e per poco non ci fece precipitare a capofitto in mezzo a una vigna frascatana. Ma questa è un'altra storia.

Abbiamo nominato la pajata, Franco l'adorava. Ecco la ricetta.

Pajata di vitello con rigatoni

Per il momento la pajata è scomparsa, almeno ufficialmente, dalla cucina romana per colpa del morbo della mucca pazza. Io però continuo a considerarla uno dei piatti più importanti della nostra tradizione.

Alberto Sordi nel Marchese del Grillo la mangiava con i rigatoni e, descrivendola alla sua amica di bagordi, la definiva provocatoriamente "merda". In realtà la pajata, che è deliziosa, è la parte superiore dell'intestino del vitello che non è stato ancora svezzato e che quindi non mangia l'erba. È un budellino che contiene siero di latte, e quando entra in comunione con il pomodoro si ottiene un sugo chiaro dal sapore delicato e indescrivibile. Un'esperienza culturale ed emozionale.

A casa nostra si mangiava spesso, e papà Armando era l'artefice di questo capolavoro.

Ecco la ricetta.

Ingredienti (per 6 persone)

1,5 kg di pajata di vitella già legata a ciambella
1 kg di pomodori pelati
900 g di rigatoni
100 g di parmigiano grattugiato
1 cipolla bianca
1 noce moscata
1 goccio di vino bianco secco
pepe, sale e olio q.b.

La pajata è facilissima da cuocere, il difficile è prima trovarla e poi prepararla. Provate a chiederla già pronta al vostro macellaio preferito, romperà un po' le scatole ma alla fine, se siete dei buoni clienti, ve la farà trovare; comunque se proprio non ve la vuole pulire fate così: con la punta delle forbici o con un coltellino separate un po' della pelle esterna, partendo da uno dei capi del budello, e poi, afferrandola con le dita, tiratela giù fino in fondo, come se si trattasse della pelle di un'anguilla.

L'intestino così sarà pulito, ma fate attenzione a non stringere troppo, altrimenti rischiate di far uscire il latte, il siero o la sostanza chimosa, che è quella che dà il sapore caratteristico alla pajata. A questo punto tagliatela in pezzi lunghi circa venti centimetri, e poi legateli a ciambella... e il più è fatto.

Prendete un tegame, metteteci olio di oliva e cipolla, aggiungete le rotelle di pajata e girate in continuazione, altrimenti si attacca al fondo, aggiungete del vino bianco, una grattata di noce moscata, del pepe e un barattolo da 800 grammi di pomodoro. Continuate a girare fino a cottura ultimata.

Il sughetto dovrà risultare denso e lattiginoso, un rosa tramonto Trinità dei Monti, saporitissimo.

A questo punto, mettete a cuocere i rigatoni di una buona marca; scolateli al dente, affogateli nel sugo della pajata e spolverateli di parmigiano. In cima metteteci le rotelle di pajata, due o tre per piatto.

Tutto va mangiato, anzi magnato, molto caldo.

Un capolavoro!

Il cinese vero e quello falso

Er Cinese naturalmente non era un cinese vero ma un siciliano, che, a causa della forma dei suoi occhi e dei baffetti scuri che gli calavano ai lati della bocca, era soprannominato da tutti, appunto, il Cinese. Bazzicava "l'oratorio" di Armando con discrezione, non era uno che stava sempre a giocare a carte e a mangiare da noi, ma era abbastanza simpatico e a tutti gli effetti un amico.

Il Cinese è famoso per l'episodio che ora vi racconto. Eravamo a metà degli anni Sessanta, era un venerdì e il Cinese venne a pranzo da noi. Si sedette a un tavolo e ordinò una pasta e ceci al cameriere, che allora era Renato, il fratello di mio padre. Renato salì in cucina e ordinò "una pasta e ceci al Cinese".

Di lì a poco nella trattoria entrò un cinese vero. Si sedette. Mio zio gli propose una pasta e ceci. Lui la ordinò e Renato salì in cucina e ordinò "Una pasta e ceci al cinese!"

Armando versò la minestra nella scodella. Il falso Cinese, entusiasta della prima pasta e ceci, ne ordinò un'altra. Renato salì di nuovo in cucina e ordinò "un'altra pasta e ceci al Cinese".

Armando, ignorando la presenza del vero cinese, pensava che quella fosse la terza scodella di minestra per il falso cinese, così impiattò e non disse niente. A questo punto accadde l'incredibile colpo di scena. Il vero cinese, incantato dalla bontà del piatto mangiato, ne ordinò una seconda.

Renato tornò su e ordinò a papà un'altra pasta e ceci per il cinese. Armando, credendo che si trattasse del Cinese di casa, che si accingeva a mangiare la quarta pasta e ceci, afferrò il tegame con la minestra e scese in sala come un fulmine. Sbatté la minestra sul tavolo quasi in faccia al falso Cinese e con un'aria fintamente incazzata, da romano vero qual era, gli gridò: «E magnetela tutta, vaffanculo!!!»

La sala al completo gli batté le mani.

Ecco a voi la ricetta della pasta e ceci.

Pasta e ceci

Ingredienti (per 6 persone)

1 kg di ceci già ammollati
500 g di cannolicchi pesanti
200 g di sugo di pomodori pelati
1 spicchio d'aglio
olio extravergine di oliva
rosmarino, peperoncino, sale q.b.

Fare la pasta e ceci è un'arte. Innanzitutto bisogna mettere a mollo i ceci almeno il giorno prima, ma si trovano anche quelli già ammollati. Non mi fate sentire che volete usare quelli in scatola perché altrimenti questo libro vi si brucerà tra le mani!

Comprate dei ceci di ottima qualità (ad esempio quelli viterbesi), metteteli in acqua la sera prima, quindi il giorno dopo li scolate, li sciacquate e li mettete a bollire con un ramo di rosmarino, un peperoncino e uno spicchio d'aglio.

Quando cominciano a sfaldarsi e sono morbidi e appetitosi sotto i denti, tuffate nella pentola un paio di sgommarelli (cioè due mestoli da minestra) di pomodoro e mezzo chilo di cannolicchi pesanti; fateli cuocere e scolateli al dente.

La pasta e ceci si mangia dentro scodelle fonde e anche tiepida è buonissima. Un'ultima cosa: aggiustate di sale e aggiungete un filo d'olio crudo e una spolverata di pepe nero.

Cechetta, la micia di bottega

Cechetta era una bella gatta soriana che si era piazzata nella nostra bottega appena aperta all'inizio degli anni Sessanta. Stava sempre lì dentro, e per lei nessun angolo nascosto era un mistero.

All'epoca avere un gatto in un negozio con la segatura per terra e le cicche sul pavimento era una norma, non un'eccezione.

Cechetta, che deve il suo nome al fatto che era orba da un occhio, era una gatta furastica. Non si faceva accarezzare da nessuno e amava la sua indipendenza. Quando Armando scendeva in cantina per prendere il vino lo seguiva e gli faceva compagnia fino a quando non risaliva.

Le cantine di allora non erano come quelle di adesso, che contengono veri e propri tesori enologici e sono condizionate, deumidificate, tirate a lucido con scaffali in legno contenenti bottiglie divise per annate e regioni e pavimenti in cotto antico bellissimi. A quel tempo erano umide e fresche, scarsamente illuminate e tremendamente caotiche, e c'erano solo damigiane da cinquanta litri ciascuna, senza impagliato, qualche bottiglia più ricercata per i ricchi eccentrici dell'epoca e qualche ospite indesiderato, che nel buio combinava sempre qualche guaio.

Cechetta accompagnava papà proprio per togliere di mezzo questi ospiti. Ne avvertiva la presenza e quando era presa dall'istinto felino del cacciatore era capace di restare lì sotto fino a caccia compiuta.

Quando parlo di lei mi ritornano in mente vari episodi. L'unica persona che la poteva avvicinare impunemente era mio fratello Fabrizio, che all'epoca non aveva più di tre anni. Quando lo vedeva, la poveretta cercava di sfuggirgli nascondendosi sotto i tavoli e gli armadi, ma non aveva scampo. Fabrizio la trovava e, tirandola per la coda, la scorrazzava in giro. Lei, carogna, addirittura gli faceva le fusa.

Un giorno Cechetta, rimasta chiusa nella ghiacciaia, si guardò intorno e, trovato un piattone pieno di animelle d'abbacchio, le mangiò tutte, e solo dopo, a pancia sazia, cominciò a miagolare per attirare l'attenzione di mio padre. Un calcio bene assestato fu il prezzo che pagò.

Le animelle di vitella

Quelle che noi romani chiamiamo animelle altro non sono che le ghiandole che si trovano attorno al cuore e quelle del collo, tiroide compresa.

Io le definisco "cibo degli dei" perché il loro sapore delicato e la loro consistenza soda danno al palato e alla mente una vera e propria vertigine. Spesso, soprattutto quelli che non sono romani hanno delle riserve mentali nel mangiarle, ma una volta che le assaggiano se ne innamorano, e ogni volta che tornano da noi le richiedono.

In Francia sono oltre settanta le ricette che le vedono protagoniste. Io da *Armando al Pantheon* le faccio così.

Ingredienti (per 6 persone)

1 kg di animelle di vitello
500 g di piselli
100 g di burro
6 uova di quaglia
40 g di pinoli bruscati
1 cipolla bianca
1 bicchiere di Marsala Superiore Marco de Bartoli
sale e pepe q.b.

Sempre dal solito macellaio fatevi dare un chilo abbondante di animelle. Quelle dell'abbacchio sono le migliori ma sono carissime e difficili da trovare, perciò per non perdere tempo al macellaio chiedete direttamente quelle di vitello. Fatevi dare quelle del collo (il timo, per intenderci) perché quelle del cuore sono più nervose e scure.

Per strada state attenti ai gatti, che ne sono ghiotti come Cechetta. Una volta a casa, mettetele a bollire in acqua e sale per una ventina di minuti.

Trascorso questo tempo, scolatele e sciacquatele sotto l'acqua fredda. Rimettetele subito nel tegame con acqua e un pizzico di sale e fatele bollire per un'altra ventina di minuti.

Scolate di nuovo le animelle, fatele raffreddare e poi con santa pazienza togliete tutte le pellicine e le venuzze che le ricoprono. A lavoro ultimato, ve le ritroverete nel piatto bianche e tenerissime. Lasciatele stare un momento.

Prendete un altro tegame, metteteci del burro chiarificato (se non lo trovate usate del burro normale) e aggiungete, sempre a fuoco basso, della cipolla bianca tagliata fina. Fatela ammalvire con un po' di sale e, dopo aver aggiunto le animelle, sfumate con il marsala (io uso quella della riserva Marco de Bartoli, ma anche uno commerciale può andare bene).

Siamo un pezzo avanti. Fate insaporire per cinque minuti.

Io non ve l'ho ancora detto, ma voi, che siete dei cuochi provetti, avete già cotto i pisellini con burro e cipolla.

Adesso è quasi tutto pronto, manca solo un ingrediente, che renderà il piatto molto appetitoso, ossia l'uovo di quaglia.

Dovete essere attenti e veloci. Disponete le animelle al centro di un piatto molto caldo, guarnitele con i pisellini, l'uovo di quaglia cotto a occhio di bue e dei pinoli croccanti sbriciolati.

Servite subito molto caldo.

Per questo cibo degli dei i vostri ospiti si leccheranno le dita.

Mino e la moglie

Erano una coppia elegante e benestante. Mino si fermava spesso oltre l'orario di servizio a giocare a scopone con la cricca del pomeriggio. Era stato subito accettato dai maestri dello scopone con le carte in terra – dicevano che lo scientifico, quello senza le quattro carte, era troppo facile, quasi da bambini, perché non si potevano sparigliare le carte, e quando il gioco è tutto paro, si sa, la cosa diventa estremamente facile. Ma non perdiamo di vista i nostri due personaggi. Lo scopone è bello, ma è in altre situazioni che va trattato.

Mino restava a giocare di pomeriggio, a volte vinceva e a volte perdeva, ma sempre con il sorriso sulle labbra, senza drammi, d'altronde la posta era vino e gassosa, e non valeva certo la pena mettersi a litigare per questo.

La moglie Monica non restava con lui e andava via subito dopo aver pranzato e tornava per l'ora di cena. Dicevano di essere rappresentanti di gioielli e bigiotteria, ma non tutti ci credevano. Amavano mangiare il pollo al vino bianco, una specialità di Armando, che ancora adesso è un piatto molto richiesto.

Un giorno a pranzo venne un certo Oreste, un parente alla lontana della nostra famiglia. Era passato per caso, solo per un saluto, ma, tentato da un'amatriciana, si fermò a pranzare. Mino e Monica erano seduti poco distanti da lui.

Oreste, mentre aspettava il piatto di pasta, per passare il tempo, si guardava intorno curiosando. Si soffermò sulla nostra coppia, quando gli si lesse negli occhi un moto di sorpresa, ma con lo sguardo tornò subito a vagare sulle mensole delle bottiglie e sui quadri alle pareti.

Mino e Monica parlottarono tra loro, chiesero il conto, si alzarono e andarono via subito. Un attimo dopo Oreste si alzò e venne in cucina. Gli si leggeva negli occhi una specie di divertito stupore. Scrutò un attimo la sala per vedere se i due erano andati veramente via e ci fece la rivelazione. Monica era una di quelle che facevano la vita.

L'aveva vista e frequentata (Oreste era una scapolo impenitente) in una casa d'appuntamento dalle parti di piazza Barberini.

Rimanemmo stupefatti. Gli chiedemmo se era sicuro di quello che diceva. Lui, serio, confermò e poi scoppiando in una sonora risata ne elogiò le doti, la fisicità e il mestiere.

Mino e Monica continuarono a frequentarci ancora per qualche anno. Certo, ogni volta che si professavano rappresentanti qualche sorrisetto mal trattenuto trapelava dai nostri volti, ma era poca cosa. Ognuno, in fondo, specie se è consenziente, ha diritto di vivere la propria vita come crede e poi... per me, allora sedicenne, guardare di sottecchi Monica e pensare a quello che faceva di professione, era molto stimolante.

Mino e Monica amavano il pollo al vino bianco. Questa è la ricetta.

Pollo al vino bianco

Ingredienti (per 4 persone)

1 pollo da 1,5 kg
1 spicchio d'aglio
1 peperoncino piccante
¼ di vino bianco
sale q.b.
olio extravergine di oliva

Questa è una delle prime ricette di Armando, e ancora adesso è presente nel nostro menù perché la reputiamo una delle più valide e conosciute da sempre. Vi suggerisco come farla, anche se è fuori dubbio che poi la vostra passione farà il resto.

Il pollo dovrà essere un animale allevato a terra, fate attenzione che non sia uno di quelli da batteria che soffrono da vivi e che fanno schifo da morti. Un bel pollo ruspante da un chilo e mezzo.

Fatelo tagliare a pezzi abbastanza grandi dal macellaio, ma state attenti che, per sbrigarsi, non tagli le zampe troppo in alto perché altrimenti, durante la cottura, il tendine si ritirerà e con esso anche la carne, mettendo così a nudo tutto l'osso della coscia.

Una volta a casa, lavatelo bene e asciugatelo. Mettete sul fuoco una padella con un po' d'olio extravergine di oliva e subito dopo aggiungete i pezzi di pollo. State attenti, perché il pollo è traditore ed è capace di schizzare con cattiveria l'olio bollente tutto intorno, quindi state in campana.

Salatelo e fatelo rosolare con uno spicchio d'aglio e un peperoncino. Quando la pelle si sarà brunita – ho scritto brunita, non bruciata – versateci un po' per volta un bicchierozzo di vino bianco, e sempre a fuoco vivo fate evaporare, stando sempre attenti a schivare gli schizzi d'olio.

Aggiustate di sale e portate a cottura. Se il sughetto nella padella dovesse risultare troppo oleoso allungate e sfumate con un po' d'acqua.

Servite il pollo ben caldo e accompagnatelo con della cicorietta romana o con dei broccoli romaneschi saltati in padella con aglio e peperoncino.

Gian Maria Volonté e la coda alla vaccinara

Questa la voglio proprio raccontare. Dovete sapere che *Armando al Pantheon* è sempre stato frequentato da personaggi della cultura e dello spettacolo. All'epoca di papà gente come Sartre, Vannucchi, Rosi, Monicelli, Ferrara, Aba Cercato, Stella Carnicina, Adalberto Maria Merli e tanti altri che ora mi sfuggono, trovando la nostra bottega molto folcloristica e vero tempio della cucina romana, spesso e volentieri venivano a mangiare e passare una bella serata da noi.

Poteva anche accadere che personaggi molto noti ai più non fossero poi così noti a papà Armando. Così quando al Pantheon stavano girando alcune scene di *Indagine su di un cittadino al di sopra di ogni sospetto* con Gian Maria Volonté, capitò che più di una volta il grande attore si fermasse a pranzo da noi.

Ebbene, la prima volta che venne era da solo e si sedette a un tavolo vicino alla porta. Con i capelli arruffati e la barba trascurata non sembrava il grande attore che era ma piuttosto un tipo un po' bizzarro, tra il barbone e il fuori di testa.

Ordinò una porzione di coda alla vaccinara; poi, essendogli piaciuta, ne ordinò un'altra. A questo punto, papà si affacciò sulla porta della cucina, chiamò Antonio, il cameriere di allora, e gli disse: «Antò, quello s'è magnato du' belle code. Siccome che sta vicino alla porta... Tiettelo un po' d'occhio... dovesse scappà!»

Naturalmente noi ci mettemmo a ridere e lo venne a sapere anche Gian Maria Volonté. Da quel giorno, ogni volta che capitava da noi saliva nella cucina di Armando e gli diceva abbracciandolo: «Tranquillo Armà che non scappo!»

Sua Maestà la Coda. Ecco la ricetta.

La coda alla vaccinara

La coda, come la pajata, la trippa, la coratella e tutte le altre frattaglie, è parte integrante della cucina romana cosiddetta del quinto quarto.

Cosa significa? Nel Settecento i macellai, coloro che macellavano le bestie, venivano pagati con le parti meno nobili dell'animale, quelle cosiddette del quinto quarto: la coda, l'intestino, il muso, le frattaglie, eccetera.

Erano la mercede che ricevevano in cambio dei loro servizi. Per vivere questi onesti lavoratori rivendevano il quinto quarto al popolino, che di certo non si poteva permettere il lusso di bistecche, filetti e affini.

Si sa che la necessità aguzza l'ingegno, e così quella povera gente iniziò a elaborare pietanze prelibate con fantasia e in economia. È tutto loro il merito della nascita della cucina romana del quinto quarto, una cucina popolare, ricca di sapori, gioia e fantasia, di cui la coda è, a ragione, la regina.

Ingredienti (per 6 persone)

3 code di vitellone o manzo
2 kg di pomodori pelati
70 g di grasso di prosciutto
2 cipolle
2 spicchi d'aglio
12 chiodi di garofano
1 bicchiere di vino bianco
1 sedano
50 g di uvetta
30 g di pinoli
10 g di cioccolato amaro
olio di oliva
sale e pepe q.b.

La coda deve essere tagliata in tocchetti di 5/8 centimetri. Non essendo facile, fatevi aiutare dal solito macellaio di fiducia, che è pratico del taglio ed è dotato di quei coltelli grandi che di solito non si tengono in casa perché sono pericolosi, specie per voi, se li dovesse tenere in mano il vostro coniuge durante un litigio.

Dunque, tagliata la coda, lavatela, asciugatela e mettetela da parte, in attesa di tuffarla in un tegame bello capiente, dove nel frattempo preparate un soffritto con olio, lardo e grasso di prosciutto. Fatelo insaporire per un paio di minuti e poi ci tuffate la coda.

Lasciatela scrocchiarellare un po', salatela e pepatela, aggiungete quindi una cipolla tagliata fine, due spicchi d'aglio schiacciati, una decina di chiodi di garofano, pepe nero come la notte e un bel bicchiere di vino bianco. Coprite e lasciate insaporire per altri dieci minuti.

A questo punto, mettete nel tegame anche un barattolo di pomodoro e coprite il tutto con acqua. Fate cuocere a fuoco vivace e aspettate con calma un paio d'ore o forse tre. Ogni tanto date uno sguardo al sugo affinché non si ritiri troppo, ed eventualmente aggiungete altra acqua.

E il sedano? Questo famoso sedano che tutti dicono far parte integrante della ricetta della coda alla vaccinara? Va messo nel tegame? Calma, adesso vi dico.

Prendete un bel sedano, non quello bianco che si mangia a cazzimperio (con olio, sale e pepe), ma quello verde, ignorante, che si presenta malissimo alla vista ma il cui aroma è ciò che rende questo piatto così saporito.

Allora, prendete questo tipo di sedano, togliete la parte con le foglie (se mangiate in quantità, possono dare effetti tossici) e tagliatelo in pezzi lunghi circa quanto il dito medio. È chiaro che se avete una manona larga come un prosciutto, vi dovete regolare in un'altra maniera, cioè tagliatelo in pezzi di 7/8 centimetri.

Mettetelo a bollire in un tegame a parte con acqua e sale e, appena cotto, passatelo in un frullatore e poi rimettetelo nel suo tegame, aggiungendoci pinoli, uvetta, cioccolato amaro in polvere e un po' del sugo della coda che sta ancora cuocendo per conto suo.

Mettete il tegame contenente il sedano e gli altri ingredienti sul fornello a fuoco moderato e lasciatecelo per qualche minuto.

Quando la coda è cotta, versateci sopra la salsa fatta con il sedano e gli altri ingredienti e fatela amalgamare. Lasciate riposare il tutto almeno mezz'ora e poi decantate il grasso in eccesso affiorato in superficie.

Servitela calda. Delicata come il sorriso di un bimbo e passionale come una bella donna. Signori, Sua Maestà la Coda!

Armando

Mario Lupo, il nostro Cencio

«Allora, te vedo 'sti du' quadri fora da bottega. Butto n'occhio dentro e te vedo er padrone che sta a scrive su 'na scrivania. Ce penso un attimo, me infilo li quadri sotto le braccia e me do! 'Sto fijo de 'na mignotta, 'nse ne accorge? Sorte fori da bottega, se guarda intorno e comincia a strillà "A ladro! A ladro!" Comincia a corre e sbajanno strada c'azzecca, perché mo ritrovo davanti che a momenti nun me veniva addosso. Cazzo! Penso tra me, questo me fa beve! Allora c'ho n'idea! Je mette li du' quadri in mano e je dico, aripijate 'ste du croste, a zelloso, stai a fà 'na caciara pe' gnente! L'ho lasciato lì, co' li du' quadri in braccio e nun ha più fiatato. Me ne so annato senza manco corre! Vaffanculo 'sto pidocchioso... 'na caciara...»

Questo era Mario Lupo, uguale al Cencio interpretato da Alberto Sordi in *Ladro lui, ladra lei* di Luigi Zampa. Ti piombava in cucina e cominciava a raccontare le sue avventure. Era un ladro onesto, come amava definirsi, un artista del furto con destrezza, e le sue imprese avevano veramente dello straordinario.

Una volta, mentre stava percorrendo via del Corso in taxi, vide all'interno di un portone un negozio di autoradio e impianti hi-fi che era chiuso. Indovinate che fece il furbacchione. Ordinò all'autista di fermarsi. Scese rapido come un fulmine. Forzò la porta del negozio e arraffò quello che gli capitò a tiro. Poi, come se niente fosse, risalì sul taxi con la refurtiva e si fece accompagnare al Pantheon. Non osò entrare da noi con lo sgobbo, ma trovò un caro amico che glielo fece depositare nella sua cantina.

Mentre Mario stava trasferendo i "ninnoli" rubati dal taxi sul marciapiede, io aprii la mia auto dimenticando l'antifurto inserito. Al suono della sirena Mario fece un salto e, accortosi che non era la polizia, mi mandò a quel paese.

Mario Lupo fece una brutta fine. Fu arrestato e, scontando la pena in mezzo ad altri ladri, non artisti come lui, cominciò a drogarsi.

Uscito da lì, non era più il Cencio che conoscevamo, era diventato un povero drogato, senza più rispetto né per se stesso né per gli altri. Non lo vedemmo più. Qualche anno dopo venimmo a sapere che era morto per overdose nel gabinetto di un cinema.

A lui dedico i bocconcini di vitello.

Bocconcini di vitello con piselli

Ingredienti (per 6 persone)

1,5 kg di spezzatino di vitello magro
500 g piselli
50 g di farina
1 cipolla media bianca
1 bicchiere di vino bianco
olio extravergine di oliva
sale e pepe q.b.

I bocconcini di vitello con piselli sono davvero facili da preparare e molto saporiti. Teneri e delicati, sono un classico della nostra cucina degli anni Sessanta.

Il vostro solito macellaio, sempre alle prese con gente che vuole filetto, bistecche e girello, sarà ben contento di darvi un po' di spezzatino di vitello.

Attenti però che sia tenero, senza troppi nervetti e grasso al punto giusto. Tagliatelo a bocconcini (cubetti di 3/4 cm) e, dopo averli infarinati, tuffateli in un tegame con un soffritto d'olio e cipolla e fateli rosolare, irrorandoli con un bicchiere di vino bianco e un po' d'acqua. Infine coprite con un coperchio e lasciate cuocere a fuoco vivace.

Quando sentite che sotto la forchetta la carne è diventata tenera e si è formato un bel sughetto cremoso, è giunto il momento di aggiungere i piselli (se non siete di quelli dello stagionale a tutti i costi, vanno bene anche quelli surgelati), che avrete cotto in un recipiente a parte con un po' di cipolla bianca e una 'nticchia di burro. Ovviamente i bocconcini vanno serviti caldi e, se volete, accompagnati da qualche crostino di pane.

Virgilio e Lombardi, i due librai

Virgilio era ebreo e veniva tutti i giorni a pranzo da noi. Il suo tavolo era lo stesso del Conte Bracci, ma i loro orari erano leggermente diversi: lui arrivava intorno alle due, quando il Conte era già a fare il riposino pomeridiano.

Virgilio non aveva nulla dell'*ingheverímme*, non era un praticante e così, mangiava tutto di gusto, senza precludersi nulla, per noi, *conditio sine qua non*, bastava che non gli elencassimo gli ingredienti, anche il maiale faceva parte del gioco.

Il banchetto dove vendeva i libri, in piazza Di Pietra, era fornitissimo di volumi di ogni tipo, per la maggior parte romanzi e saggi, ma anche opere di autori pressoché sconosciuti trovavano posto su quel piccolo carretto. L'attività non era sua ma di una bella signora un po' attempata. Era la sua compagna, anche se non lo dava a vedere e lui l'amava molto.

Indossava un camice nero che lo faceva sembrare un prete, fumava il mezzo toscano, amava la cacio e pepe e il pollo al vino bianco, e non disdegnava un goccetto di Frascati. Giocava ai cavalli e a volte c'azzeccava.

Faceva parte dello zoccolo duro di *Armando al Pantheon*. Molto spesso il pomeriggio si fermava a giocare a carte con mio padre e gli amici. Al banchetto ci pensava Samuele, un suo fedele aiutante. Virgilio conosceva bene il suo lavoro, era un vero professionista.

Ogni tanto mi sedevo al suo tavolo, mi piaceva ascoltarlo. Parlava di libri, di autori, raccontava aneddoti, e tra un goccetto e l'altro srotolava davanti a me la sua vita. Una vita difficile: guerra, fughe, paure, il cuore fatto a pezzi dal dolore, dalla solitudine, dalla perdita di tutta la sua famiglia deportata ad Auschwitz. Allora un'ombra di malinconia gli velava gli occhi e subito dopo, come a volersi scusare con me, mi diceva che era tutto passato e che ora non ci pensava più. Virgilio era una grande persona.

Lombardi invece era un napoletano raffinato, simpatico ed elegante come solo i napoletani colti sanno essere. La sua libreria antiquaria si trovava tra piazza Sciarra e il Quirinale ed era frequentata da dotti e politici, dal clero e da quella borghesia raffinata che vedeva la possibilità di investire denaro anche nei libri.

Lombardi ne aveva di belli, importanti, da museo o da grandi biblioteche. La sua era una stirpe di librai, e nel tempo avevano accumulato rarità e ricchezze.

Conosceva papà dai tempi in cui faceva il cameriere da *Lupelli* al Mancino. Erano diventati amici, e quando Armando si trasferì al Pantheon, Lombardi lo seguì. La cacio e pepe era il suo debole e la mangiava quasi tutti i giorni.

Cosa legava Virgilio e Lombardi? La passione per i libri e il piacere conviviale di stare insieme, il capire di essere così distanti eppure così simili.

Di Virgilio seppi che in tarda età fu affidato dai nipoti a un ospizio. Dopo qualche tempo, forse preda dei fantasmi del suo passato come Primo Levi, si buttò dal terzo piano e finì là la sua esistenza terrena.

Di Lombardi mi è rimasta impressa una frase che mi disse una volta, mentre lo accompagnavo con l'automobile alla stazione. Stavo sfilando via veloce in mezzo al traffico quando lui, guardandomi tranquillo da sotto gli occhiali mi disse: «Vai piano... che io... vado di fretta!»

A Virgilio e Lombardi sono dedicate la cacio e pepe e la melanzana alla parmigiana.

Cacio e pepe

La cacio e pepe è un'altra colonna della cucina romana. Non è facile da eseguire proprio per la sua apparente semplicità. Il segreto è negli ingredienti (pasta molto amidosa, pecorino romano stagionato il giusto, pepe nero fresco appena macinato) e nell'esperienza.

Una volta a Roma i banchetti, quei pranzi di festa interminabili, si concludevano con un piatto di cacio e pepe. Sì, avete letto bene, dopo aver mangiato antipasti, primi, secondi, formaggi, dolci e frutta e bevuto il caffè, prima di alzarsi da tavola i nostri vecchi romani gustavano un bel piatto di spaghetti cacio e pepe. Vi starete chiedendo il perché. Be' perché è un piatto ruffiano, veloce e irresistibile, che riesce a inserirsi golosamente anche nelle pance ormai piene di ogni altro ben di dio.

Allora come si fa?

Ingredienti (per 6 persone)

600 g di spaghetti
150 g di pecorino grattugiato
1 cucchiaio abbondante di pepe macinato fresco e grosso

Mettete a cuocere la pasta. In un'insalatiera capiente sciogliete il pepe e parte del pecorino con un po' d'acqua di cottura. Versate quindi la pasta al dente in quella lussuria di pecorino e pepe, e mantecate.

Tutto deve restare "liquido" ma non bagnato. Questo è il passaggio più complicato. E solo la passione e la perseveranza possono trasformare questo piatto in un capolavoro.

Sporzionate e spolverate con il pepe e il pecorino rimanente.

Se avete eseguito il tutto alla perfezione riceverete applausi a scena aperta, altrimenti... fate meglio a scappare perché vi tireranno il piatto dietro!

Melanzane alla parmigiana

Ingredienti (per 6 persone)

1 kg di melanzane
1 kg di pomodori rossi
400 g di fiordilatte
150 g di parmigiano grattugiato
250 g di farina 00
40 g di burro
½ cipolla
olio per friggere
basilico
sale q.b.

Con le melanzane alla parmigiana ci vuole un po' di pazienza. Lo so, in questa società nevrotica, dove si va sempre di fretta, trovare il tempo da dedicare alle melanzane non è facile, ma se volete fare bella figura con i vostri invitati bisogna che questo tempo lo troviate.

Innanzitutto mondate le melanzane, poi tagliatele a rondelle di circa un centimetro di spessore, mettetele in uno scolapasta, salatele abbondantemente e pressatele con un peso (una pentola ricolma d'acqua può andare bene), quindi fatele spurgare per un'ora abbondante, così perderanno un po' del liquido e parte dell'amaro che contengono.

Una volte spurgate, lavatele sotto l'acqua corrente e poi asciugatele. A questo punto, infarinatele e mettetele a friggere in una padella con abbondante olio.

Quando saranno ben dorate, depositatele su carta assorbente e salatele. Dato che sicuramente non resisterete, vi permetto di addentarne un paio, anche perché una sola non vi basterebbe. Adesso il più è fatto e non resta che imburrare una teglia e metterci dentro le melanzane una accanto all'altra.

In precedenza avrete preparato un semplice sugo di pomodoro con cipolla e basilico. Ricoprite le melanzane con questo sugo e aggiungete del fiordilatte tagliato a dadini, qualche fiocco di burro e un paio di foglie di basilico. Ripetete l'operazione con un altro strato e infine spolverate con parmigiano grattugiato, aggiungendo qualche altro ciuffo di burro.

Infornate a 180°C e fatele cuocere fino a gratinatura. Servitele calde.

Fabiana, Claudio, Fabrizio e Mario

Osiette

Osiette era un posteggiatore napoletano. Il suo vero nome non si seppe mai. Era chiamato Osiette, per via del fatto che quando giocava a carte nel calare un sette gridava "Ecco o siette!"

Era spesso ubriaco e perciò inaffidabile, e risultava simpatico solo a Franco l'idraulico e a mio padre.

Gli dedicai una poesia che, se avrete la pazienza di leggerla, è proprio il suo "ritratto letterario".

A Osiette

L'uva ce l'hai sul naso, disegnata sul volto.
Nelle rughe della tua faccia scarna e scavata.
Nel tuo stomaco gonfio di boria.
Eppure sei felice,
lo sai che ti uccidi,
eppure sei felice,
e ti compiaci dei tuoi versacci, delle tue grida oscene,
delle tue bestemmie gridate contro il mostro
che tu solo puoi vedere, toccare.
È la tua coscienza che ti rimorde dentro?
Oppure è un amore non compreso,
per una donna?
Per una mamma?
Per un'idea, per una fede,
per il tempo che passa e t'invecchia sempre più?
Ma tu dici che te ne freghi e bevi, bevi, e ancora bevi,
non ascoltando chi ti sta intorno e ti dice che è
sbagliato, non è morale.
Tu, te ne freghi.
Torni bambino e sorridi divertito.
Il vino ti succhia il cervello,
ma non ti tradisce.
Hai capito tutto della vita,
tu giullare irriverente, lo sai che è breve
e non vale la pena prenderla sul serio.

(24 febbraio 1979)

Trippa alla romana

A casa nostra si racconta che una volta mio nonno Ildebrando ricevette in regalo da un suo caro amico, macellaio al mattatoio, una certa quantità di trippa.

Dovete sapere che all'epoca la trippa non era sbollentata, pulita e schiarita con l'ipoclorito di sodio (la varechina), ma usciva fuori dalla carcassa dell'animale macellato con tutte le sue cose puzzolenti al loro posto, insomma era veramente rivoltante.

Nonno si presentò a casa con questa roba disgustosa e ci mancò poco che a mia nonna le venisse un colpo. Discussero, e non poco, sull'opportunità che quella roba venisse pulita e preparata in casa. Nonna era assolutamente contraria, ma si sa che ottant'anni fa non era semplice contraddire un marito che era convinto di stare nel giusto, così giunsero a un compromesso: nonna avrebbe sopportato i cattivi odori e avrebbe cucinato la trippa, ma la parte puzzolente e di bieca manovalanza l'avrebbe fatta Brandino, che altro non era che il diminutivo con cui nonna chiamava il marito.

Detto fatto. Il giorno dopo nonno, armato di coltellacci e altri misteriosi attrezzi, si alzò la mattina alle cinque, e con acqua bollente, pazienza e naso otturato tolse tutte le parti non commestibili da quello stomaco vaccino e diede alla trippa sembianze quasi umane.

Nonna la cucinò e fu molto apprezzata, non solo in casa ma anche nei dintorni, dagli amici e dai conoscenti, i quali, dopo aver sopportato quell'agonia di fumi pestilenziali, si presentarono a casa dei nonni con piatti e scodelle appena sentirono i profumi meravigliosi di pomodoro, menta romana e pecorino con la coccia nera.

Erano altri tempi, era un altro mondo, ma la trippa resta uno dei punti di forza della nostra cucina romana.

A Osiette, caciarone e anarchico, dedico la Trippa alla Romana. Ricordo che gli piaceva e anche con quella esagerava... come sempre.

A proposito di trippa, vi racconto un brevissimo aneddoto che risale agli albori della mia carriera da cuoco. All'epoca mio padre si era da poco ritirato lasciandomi l'onere e l'onore di incarnare *Armando al Pantheon* in cucina. Come ho già detto, il sabato veniva a mangiare a pranzo con la sorella Luciana. Avevano il loro tavolo e mangiavano come lupi. Durante uno di questi pranzi, mia zia, che stava mangiando la mia trippa, trovò nel piatto un pezzetto di carota. Apriti cielo!

«La carota nella trippa?!? Ma sei diventato matto?!? Ma come se fa?!? Io t'ammazzerei!!!» furono le frasi più carine che mi rivolse. Io sorrisi, ma da allora stetti molto attento che la carota fosse bandita dalla mia trippa alla romana. Adesso la vegliarda arzilla ha quasi una novantina d'anni, e ogni volta che mi vede, prima di un qualsiasi saluto, mi fissa e con un leggero e ironico sorriso sulle labbra mi chiede: «Mica metterai ancora la carota nella trippa?»

Ecco dunque gli ingredienti e la ricetta per fare una buonissima trippa, e... attenti alla carota!

Ingredienti (per 6 persone)

1 kg di trippa
50 g di grasso di prosciutto
200 g di pecorino grattugiato
500 g di pomodoro rosso da sugo
olio extravergine di oliva
menta romana
pepe nero

Andate dal solito macellaio e state bene attenti a non farvi rifilare quel tipo di trippa che è molto bella a vedersi, perché bianchissima, ma che è resa gommosa e insipida dalle sostanze chimiche con cui viene trattata per renderla bella esteticamente.

Dite chiaramente al tipo dietro il bancone che volete la trippa scura, possibilmente non la cento pelle, che è cibo per gatti, ma la scuffia, quella più consistente e callosa, formata da alveoli piuttosto grandi. Fatela tagliare a listarelle della larghezza di un centimetro circa, cosa che i macellai non amano fare perché gli fa perdere tempo, ma che per chissà quale etica professionale alla fine vi accontentano.

Tornate a casa con il nostro bel chilo di trippa scura e la mettete a cuocere con una presa di sale, una carota e una mezza cipolla, in abbondante acqua fredda. Dovrà cuocere almeno un'oretta e voi, nel frattempo, preparate un bel sughetto di pomodoro con un soffritto con del grasso di prosciutto e uno spicchio d'aglio.

Quando il sughetto è pronto dovete scolare la trippa e poi sciacquarla sotto l'acqua corrente.

Asciugatela e poi disponetela in un tegame dove avete messo a sfrigolare un po' d'olio di oliva e di cipolla bianca. Bagnate con del vino, spolverate con della menta romana e infine versate il sugo preparato, lasciando insaporire per una ventina di minuti e rimestando con un cucchiaio di legno per non far attaccare il tutto sul fondo della pentola.

Aggiustate di sale, servitela calda e spolveratela con del vero pecorino romano, quello colla coccia nera. Una grattata di pepe vero è quello che farà decollare il tutto.

Ernesto e Aba Cercato

Ernesto era un omaccione dai modi esageratamente galanti. Non era ricco, era uno che armeggiava con la vendita delle case, ma, essendo più fumo che arrosto, in realtà viveva alle spalle di sua moglie Pia, del cui lavoro si sapeva ben poco.

Ernesto era un donnaiolo, cosa che, in assenza della moglie, poteva anche essere giustificata. Anche se un po' grassoccio e con pochi capelli, era di bell'aspetto, alto e sempre elegante. Il casino accadeva quando lui, senza alcuna prudenza, si metteva a fare il cascamorto con qualche bella donna in presenza della moglie.

Così capitò che una sera, mentre erano a cena con gli amici della solita cricca, arrivò nel locale Aba Cercato. Naturalmente era in compagnia, ma a Ernesto questo poco importava. La guardò con interesse, nonostante ci fosse Pina. Gli altri ci scherzarono e Pina, piano piano, cominciò "a pigliare d'aceto", come diciamo noi a Roma. Ma lui senza alcuna prudenza continuò la sua corte a distanza, occhieggiando e parlando ad alta voce per farsi notare.

Aba Cercato era all'apice della sua carriera ed era molto bella, un simbolo del fascino femminile italiano, tanto che la Doria produsse dei biscotti con il suo nome, quindi un grande richiamo per una persona esuberante come Ernesto.

Quando entrò la fioraia, Ernesto si fece prestare i soldi da un amico del tavolo per comprare una rosa e, alzatosi, andò a offrirla ad Aba, che l'accettò con un sorriso. A questo punto Pina non ci vide più e appena Ernesto si risedette accanto a lei gli rifilò uno schiaffo così forte e rumoroso da far girare tutti i clienti, gli amici, l'inserviente, i camerieri, il cuoco, il ragazzo di sala e Armando verso Ernesto, tutto rosso in viso.

Dopo lo schiaffo, Pina si alzò e uscì dal locale. Aba annusò la rosa, sorrise e si rimise a mangiare. Ernesto restò seduto al suo posto, con la guancia viola e lo sguardo perso nel vuoto.

Tra l'altro Aba amava talmente tanto le polpette di Armando che lo invitò a una sua trasmissione su Rai 3 perché ne parlasse e ne svelasse il segreto della ricetta. Ma il segreto non lo seppe mai.

Le polpette di Armando

Aba non seppe mai il segreto delle polpette di papà, e non so neanche fino a che punto fosse davvero interessata. Questo è un piatto tipico della cucina romana, dove vengono uniti il sapore e la fantasia tipici di un popolo che si è sempre dato da fare nel ricavare dalla semplicità degli ingredienti piccoli capolavori gastronomici.

Ingredienti (per 6 persone)

1 kg di carne bollita
3 uova intere
150 g di parmigiano grattugiato
300 g di mollica di pane raffermo
500 g di pan grattato
olio extravergine di oliva
olio per friggere
prezzemolo
aglio, sale e pepe q.b.

Le polpette di Armando sono una ricetta del riciclo, che riutilizza il bollito, cioè la carne che è servita per la preparazione del brodo, che però non viene tagliata a fettine come per la picchiapò, ma è passata nel tritatutto.

Dunque, oltre alla carne tritata, vi occorrono uova intere, parmigiano grattugiato, pane raffermo e un po' di prezzemolo tritato, che in precedenza avete fatto rinvenire nel brodo e poi strizzato per bene.

Impastate con le mani e cercate di far amalgamare il tutto fino a che non assume una certa consistenza elastica. Formate delle pallottole grandi press'a poco come un'albicocca e gli date una schiacciatina; insomma, fatene delle polpette.

Passatele e ripassatele nel pangrattato e poi mettetele a friggere dentro una padella fino a che non avranno preso un bel colore marroncino chiaro.

Quest'ultima fase vi consiglio di farla chiusi da soli in cucina perché le polpette appena cotte sono talmente irresistibili che rischiate di vedervele mangiare sotto gli occhi da qualche ghiottone, man mano che le tirate fuori dalla padella.

Dopo aver fatto le polpette e averle messe sulla carta assorbente, vi trovate a un bivio: le lasciate così, semplicemente fritte, oppure le fate insaporire in un bel sughetto di pomodoro fresco? A voi la scelta.

Nel primo caso, guarnitele con patatine fritte, insalatina fresca o cicorietta ripassata in padella. Nel secondo, preparate un sughetto con pomodori e basilico, immergetevi le polpette fritte e poi, dopo qualche minuto, per darle il tempo di insaporirsi, guarnitele con pisellini freschi e servitele ben calde. Tenetene una scorta perché gli applausi e i bis arriveranno puntuali.

Un altro piccolo aneddoto. Un giorno papà aveva fritto, come piatto del giorno, una trentina di polpette, quando si presentarono a pranzo due suoi nipoti, fruttaroli a Campo de' Fiori. Salutarono zio Armando. Poi, rimasti soli, misero subito gli occhi sulle polpette e fecero razzia. Ne mangiarono quindici a testa in dieci minuti, e a papà non restò che prepararne altre.

Ancora adesso i miei cugini ci tengono a precisare che le polpette le pagarono, ma il loro sorrisetto ironico mi lascia sempre qualche dubbio.

Ugo Gregoretti e l'autista del bus

Ugo Gregoretti è un nostro cliente affezionato da ormai molto tempo. Ama l'anatra alle prugne e non c'è verso di fargli cambiare ordinazione.

Da svariati anni a questa parte ha sempre festeggiato da noi i suoi compleanni.

Abbiamo parlato tante volte di Alberto Sordi: erano amici, e io speravo sempre che lo portasse a pranzo o a cena.

«Alberto è un orso» mi diceva. «Quando sta a Roma spostarlo da casa sua è un'impresa. Non esce, è furastico!»

Conoscevo tutti i gusti culinari di Albertone nostro, nella speranza che un giorno si fosse presentato con Ugo: pasta con ragù di macinato e polpettine sparpagliate sopra era il suo piatto preferito, ma purtroppo per me, e anche per lui, aggiungo io, non ebbi mai l'onore di farglielo gustare da *Armando al Pantheon*. Duro a dirsi, ma da noi il più grande attore romano non è mai venuto. Così va il mondo.

Ma torniamo al mio amico Gregoretti. Quando festeggia i suoi compleanni da noi con lui viene tutta la sua famiglia. Spesso, in questa occasione, è capitato che raccontasse piccoli aneddoti su se stesso e sul rapporto viscerale che lo lega a Roma e ai romani.

Quando penso a lui mi sembra di risentirlo raccontare questa storiella che ci fece ridere di cuore. Un giorno, mentre stava passeggiando in via della Rotonda, di fianco al Pantheon, si sentì suonare da uno di quei piccoli bus che girano per il centro di Roma. Lui non gli badò e continuò a camminare assorto nei suoi pensieri, ma poco dopo un altro colpo di clacson lo fece sobbalzare. Questa volta si scansò prontamente, ma l'autista del piccolo mezzo, passandogli accanto, lo squadrò e guardandolo seriamente gli disse: «A Gregorè, ma che te sei rincojonito?!?»

Lui sostiene che in questa storiella c'è tutto lo spirito della gente romana. Il Pantheon è un paese nella città e i romani sono tutti una grande famiglia.

Anatra alle prugne per Ugo... Uno di noi!

Anatra alle prugne

Diciamo subito che questa ricetta non è mia, ma è la trasposizione ai nostri giorni di una ricetta di Apicio, il più grande cuoco della sua epoca nonché il primo ad aver messo per iscritto le sue ricette e portato avanti un discorso, a dir poco moderno, di scuola di sperimentazione e insegnamento. Stiamo parlando di duemila anni fa, dell'epoca di Tiberio, l'imperatore che godeva delle sue prestazioni culinarie.

A un certo punto della sua vita, Apicio fu costretto a fuggire da Tiberio e dalla sua corte, si dice perché non apprezzasse i cavolfiori tanto amati dall'imperatore. È ovvio che sotto ci deve essere stato qualcosa di più complesso e ideologico. La versione ufficiale lo vide riparare a Minturno, suo paese d'origine, dove creò scuole e si dedicò agli scritti riguardanti il suo pensiero e la sua filosofia sul cibo e sulla cucina. Ma questa è un'altra storia, e forse un giorno troverò il tempo per raccontarvela.

Ingredienti (per 6 persone)

1 anatra muta da kg 1,80/2,200
1 cipolla rossa di Tropea grande
250 cl di mulsum (vino bianco aromatizzato con miele)
miele di acacia
20 prugne secche
10 g di cumino macinato
50 g di semi di sesamo
aceto di vino bianco
sale q.b.

Dal vostro buon macellaio prendete un'anatra muta che superi i due chili. Fatela tagliare a pezzi, e prima di arrivare a casa procuratevi al mercato una bella cipolla rossa di Tropea, (se non la trovate andrà bene anche una rossa normale), una ventina di prugne secche larghe, del miele di acacia, del vino dei Castelli romani bianco secco, del cumino in polvere o anche in semi e dei semi di sesamo.

Adesso, con tutto l'occorrente nella sporta, potete andare a casa. Bevete un bel bicchiere di "bollicine" fresco di frigo e cominciate a preparare l'anatra alle prugne.

Prendete una padella grande, versateci dell'olio di oliva, e mettetela su fuoco vivace. Prima che si scaldi troppo aggiungete l'anatra a pezzi, e dopo averla salata e fatta rosolare per benino, conditela con il cumino e la cipolla rossa tritata finemente. Spadellate e aggiungete un bel cucchiaio di miele e un bicchiere di Frascati secco.

Nel frattempo fate rinvenire le prugne in acqua tiepida. Tuffatele in padella con l'acqua e coprite il tutto con un coperchio, questa volta a fuoco moderato, lasciando ultimare la cottura.

Se il sugo dovesse risultare troppo oleoso, potete aggiungere un po' d'aceto, che contribuirà a eliminare del tutto il grasso in eccesso.

L'anatra alle prugne va servita calda e spolverata con una manciata di semi di sesamo croccanti. Come contorno, consiglio le puntarelle, (risalenti all'età imperiale), altrimenti, se sono fuori stagione, andrà benissimo della cicoria romana saltata in padella.

Vedrete, sarà un successone!

Michele Er Mafioso

Michele detto Er Mafioso era una bravissima persona. Il soprannome gli veniva dal fatto che fosse siciliano e dal forte accento del suo parlato. Bazzicava "l'oratorio" il pomeriggio, ma, non essendo tra quelli accaniti con le carte, a volte, quando Armando era occupato in qualche partita di scopone, Micheluzzo lo aiutava servendo da bere agli altri clienti. Era talmente disponibile che a papà faceva da segretario e, una volta andato in pensione, anche d'autista.

La domenica Armando, Michele e Tullio, un altro fedelissimo di papà che non portava la macchina, spesso se ne andavano in giro per amici e per le cantine di quasi tutti i Castelli Romani e, come si dice a Roma, *je davano de brutto*. I due birboni erano tranquilli perché Michele non era un gran bevitore, e così, con lui sobrio, il viaggio di ritorno era assicurato.

Non essendo sposato, Er Mafioso viveva con una sua zia anziana, che era rimasta sola dopo che il marito era morto e i figli si erano sposati. Si facevano compagnia Michele e la zia, e lui le voleva bene come fosse un figlio. Però alla scomparsa della vecchietta si trovò in serie difficoltà perché l'appartamento della donna era intestato ai figli, i cugini di Micheluzzo, che senza tante cerimonie gli fecero capire che al più presto avrebbe dovuto lasciare la casa.

Il poveretto era disperato: viveva con la sua pensione e prendere in affitto anche solo una stanza gli sarebbe pesato così tanto da non farlo stare sereno. Si era avvilito ed era a un passo dalla depressione.

Ma la sfortuna non aveva tenuto conto di una cosa: lui era l'amico e il segretario di Armando, e mio padre, uomo di un altro secolo, cosa fece? Comprò un piccolo appartamento alla periferia sud di Roma e ci fece andare a vivere Michele, in cambio di una minina quota d'affitto.

«Non potevo vedello così triste e preoccupato» disse a Tullio, che si era stupito di quel gesto. «Ai Castelli, a domenica, annamo pe' ride... e Er Mafioso co' quella faccia da vespillone che c'aveva ultimamente nun me faceva ride più! E poi, a voi sapè 'na cosa? A me quei du stronzi dei cugini che l'hanno cacciato de casa... me stanno proprio sur cazzo!»

Michele continuò a essere il tuttofare di papà ancora per lungo tempo e restò tranquillo in quell'appartamentino fino alla sua morte. Adorava gli spaghetti alla gricia e il pollo con i peperoni, perciò a Michele Er Mafioso dedico questo piatto prelibato.

Pollo con i peperoni

Di solito a Roma il pollo con i peperoni si prepara per il pranzo di Ferragosto. Diciamo però che relegarlo solo a quella festività sarebbe un vero e proprio omicidio soprattutto perché questo piatto rispecchia l'essenza popolana di una Roma ormai quasi scomparsa, che racchiudeva nel pranzo della domenica la voglia di uscire fuori dal quotidiano, di vestirsi da ricca e mangiare di lusso. E il pollo, oltre a essere un lusso di per sé, con l'aggiunta dei peperoni, magari giallorossi, diventava un pranzo da re.

Ultimamente avevo cominciato a rifare questo piatto, ma poi non sono riuscito più a toglierlo dalla carta: me lo richiedono tutto l'anno e non solo d'estate. Posso dire che è un pollo per tutte le stagioni!

Un cliente, dopo averlo mangiato, mi ha detto: «A Clà, se c'avevo questo pollo coi peperoni a Ferragosto, mi si era risolta l'estate!»

Pollo con i peperoni, una piccola e semplice magia. Vediamo come farlo.

Ingredienti

1 pollo
50 g di guanciale
1 spicchio d'aglio
5/6 peperoni giallo-rossi
½ kg di pomodori San Marzano o Casalini freschi
1 bicchiere di vino bianco secco
sale q.b.

Andate dal solito macellaio e assicuratevi che il pollo sia stato allevato a terra, uno di quelli con le zampe zozze di fango; poi passate dal fruttivendolo per acquistare una testa d'aglio, cinque o sei peperoni giallo-rossi belli carnosi e cinque o sei pomodori San Marzano.

Dal salumiere prendete un paio d'etti di guanciale di ottima qualità (di Montefiascone o Bassiano), con la giusta quantità di grasso e un po' di magro (due etti sono tanti perché per la nostra ricetta bastano 50 grammi, ma con il restante etto e mezzo preparerete una bella gricia). In fondo, il pollo è un secondo piatto, e un primo piatto, per un pranzo serio, lo dovrete pur preparare. Il vino a casa lo avrete sicuramente.

Bene, andiamo a cucinare.

Tagliate il guanciale a listarelle e lasciatelo rosolare in una padella molto capiente con uno spicchio d'aglio. Fiammeggiate con un goccio di vino bianco e aggiungete nella padella il pollo che avete tagliato a pezzi. Fatelo rosolare e salatelo.

Aggiungete un altro goccio di vino e i pomodori San Marzano sbollentati e pelati.

I peperoni vanni tagliati a listarelle di 3-4 centimetri e uniti al pollo subito dopo la rosolatura e l'aggiunta del vino bianco e pomodoro, fino al termine della cottura.

Coprite con un coperchio e lasciate cuocere a fuoco medio.

Servite il pollo caldo e guarnitelo con un rametto di rosmarino.

Se siete stati bravi tutti si innamoreranno di voi e del vostro pollo con i peperoni, ma attenzione: una volta assaggiato, ve lo chiederanno in continuazione.

Bello de casa

Umberto era il fratello maggiore di Armando. Aveva fatto il fruttarolo a Campo de' Fiori per oltre vent'anni; poi, ormai libero da impegni, la mattina passava dalla bottega e aiutava a pelare le patate e a preparare le altre verdure.

Zio Umberto, soprannominato "Bello de casa" sia in famiglia che al mercato, era un bel tipo, alto e con i capelli impomatati e pettinati all'indietro alla Rodolfo Valentino. Da giovane piaceva molto alle donne, ma a causa della sua passione smisurata per il gioco, specie quello dei cavalli, difficilmente riusciva a legare in maniera definitiva con qualcuna.

In realtà, una donna davvero importante per lui c'era stata, e i due erano lì lì per sposarsi. Ma alcuni giorni prima delle nozze Bello de casa, mentre era diretto verso il mobilificio con i soldi per comprare la stanza da letto per l'appartamentino di Trastevere che avevano affittato, vide il tram che andava a Capannelle. Non ci pensò su un momento. Salì al volo. E, una volta all'ippodromo, incontrò un amico che gli diede un cavallo sicuro.

Si giocò tutti i soldi su un brocco che non arrivò neanche al traguardo. Voleva ammazzare il galoppino che gli aveva dato la dritta, ma non lo trovò, così sparì dalla circolazione per qualche giorno. I miei nonni lo cacciarono di casa, mentre alla futura sposina prese un coccolone e non volle più vederlo. E così zio Umberto restò scapolo.

Ed eccolo dunque nella nostra cucina a pulire patate con il suo coltello personale e i suoi contenitori.

Perché "Bello de casa" è così radicato nella storia e nella tradizione di *Armando al Pantheon*? In lui si rispecchiava un certo tipo di romanità di quell'epoca. Spaccona e cialtronesca, irriverente e leale, senza vie di mezzo né compromessi, egoista e generosa, pazza da legare e godereccia. Il vino, i cavalli, le donne, i soldi, gli amici, la voglia di vivere allegramente. Era un ladruncolo, un potente iettatore e un dongiovanni... insomma, era una pecora nera ma anche un grande personaggio.

Essendo il minore, Armando da piccolo era affascinato dal fratello Umberto, ma per sua e nostra fortuna, ne prese un po' le distanze.

Ai quei tempi, spazzando per terra, da sotto un frigorifero capitava di tirare fuori centinaia di noccioli d'olive. Erano quelli che di nascosto Bello mangiava mentre puliva le patate. Colto sul fatto, negava tutto e tu non potevi che riderci sopra.

Un altro aneddoto. Una volta papà lo mandò in banca a pagare un conto corrente per il consumo dell'acqua. Questo conto corrente non era a nome nostro ma di una vecchia intestataria. Zio Umberto questo non lo sapeva e rimase per oltre mezz'ora seduto in banca ad aspettare che il cassiere chiamasse il nostro nome per evadere la pratica. Era inevitabile che il nostro nome non venisse mai pronunciato, come fu altrettanto inevitabile che zio Umberto si infuriasse come un bufalo mandando a quel paese tutti gli impiegati della banca.

Alla fine, svelato l'arcano con l'intervento del direttore, dopo urla e imprecazioni impronunciabili Bello prese la strada della bottega con le ricevute tra le mani. Io, che all'epoca facevo le pulizie nella sala, ero sulla porta quando lo vidi tornare bofonchiando, seguito a una ventina di metri da uno dei cassieri della banca.

Entrò nella bottega e subito dopo l'impiegato che lo seguiva mi si avvicinò timoroso. Mi mostrò l'assegno senza firma con il quale zio aveva pagato il conto corrente che papà si era dimenticato di firmare. Non avevano avuto il coraggio di dirlo a "Bello de casa" dopo il casino che aveva combinato, così mi pregò di farlo firmare ad Armando.

Bello morì negli anni Ottanta, ma il suo fantasma dispettoso, io ne sono convinto, ancora si aggira per *Armando al Pantheon*. Ogni volta che sparisce qualcosa o che accadono stranezze come oggetti che cadono, fornelli che si spengono all'improvviso o fiamme troppo alte, bicchieri che sfuggono e si frantumano in mille pezzi, mi rivolgo direttamente a lui e gli dico: «A Bello de ca', nun rompe le scatole che noi stamo a lavorà!!!» E tutto si acquieta.

Umbertone amava le fettuccine all'Armando. «Me ne magnerei 'na carriola nonostante er diabete!» confessò un giorno a mio padre. Ed è proprio in suo ricordo che vi do la loro ricetta.

Le fettuccine all'Armando

Si potrebbero scrivere tanti aneddoti su questa ricetta. Le fettuccine all'Armando nacquero nei primi anni Sessanta e dominarono il menù di *Armando al Pantheon* per almeno trent'anni.

Erano semplici ma efficaci, e chiunque le assaggiasse ogni volta che tornava da noi non poteva fare a meno di ordinarle. Piselli, pomodoro, funghi e parmigiano erano gli ingredienti, un mix che diventava magico con un piccolo segreto che il mio papà aggiungeva.

Una volta ci ordinarono le fettuccine delle persone che non le avevano mai mangiate. Quella sera erano finiti due degli ingredienti per eseguire il piatto: i piselli e i funghi. Eravamo tutti presi dal panico. Ma Armando era calmissimo; ci guardò allegro e disse: «Le fettuccine so' all'Armando? Io so' Armando, quindi ce metto quello che me pare!» Ci mise delle melanzane e furono un vero successo!

Adesso, perché giudicate un po' superate, non sono più nel menù, ma ogni tanto, quando qualche vecchio cliente ce lo chiede, siamo felici di preparare questo piatto.

Il segreto? Be', io vi do la ricetta, ma i segreti sono segreti.

Ingredienti (per 6 persone)

600 g di fettuccine caserecce
1 kg di pomodori pelati
300 g di piselli freschi
500 g di funghi champignon
50 g di burro
100 g di parmigiano grattugiato.
olio di oliva
cipolla
basilico
sale q.b.

Preparate il solito sughetto con la cipolla e il basilico fresco. A parte mettete a cuocere i piselli (se riusciste a trovare i cornetti di

Tivoli sarebbe meglio, ma anche quelli surgelati possono andare bene, soprattutto se sono fuori stagione. In ogni caso, non usate mai quelli in scatola). Nel frattempo mettete a cuocere anche gli champignon con uno spicchietto d'aglio e un po' di prezzemolo.

Scolate le fettuccine al dente e mettetele in padella con il pomodoro, i piselli, i funghi e una noce di burro. Servitele calde con del parmigiano spolverato sopra.

Barabba, il più mejo barbone del Pantheon

Alfonso Sacco, in arte Barabba, era un siciliano, pronipote di Pirandello, ed è stato uno dei personaggi più caratteristici del Pantheon. Non c'è stato ristorante, bar, negozio o qualsivoglia attività commerciale che non abbia dovuto fare i conti con la sua irruenza e la sua anarchica voglia di libertà.

Si presentava da noi quasi tutti i giorni verso l'ora di pranzo, si affacciava alla porta e cominciava a chiamare: «Armando! Armando!» Papà, che era un uomo paziente e di buon carattere, gli faceva trovare una vaschetta di pasta e ceci, piatto di cui lui era ghiotto, e una bottiglietta di vino un po' annacquato per preservarlo dalle sbronze, e, dopo essersi raccomandato che non buttasse gli avanzi sul marciapiede di fronte al ristorante, come era solito fare, rifiutava i soldi che Barabba gli voleva dare per pagare il cibo e lo mandava via con una pacca sulle spalle, come a dirgli "non ti preoccupare".

Non sempre filava tutto liscio, e a volte Barabba era talmente fuori di testa che dovevamo impedirgli di entrare nella bottega e se entrava lo stesso di prepotenza, scostando in malo modo il cameriere, ero io quello incaricato a sollevarlo da terra e a riportarlo fuori in strada. Ero l'unico che lo chiamava con il suo vero nome, Alfonso, e per questo mi portava un po' di rispetto.

Spesso Barabba era veramente impresentabile – sporco, laido, ubriaco, violento – ma era uno zozzo di qualità, unico nel suo genere: un vero personaggio. Quando era in queste condizioni con una semplice telefonata in Vaticano a un numero segreto che solo lui conosceva arrivava un'autoambulanza a prelevarlo perché lui, subito dopo la telefonata, si buttava per terra in mezzo a piazza della Rotonda, ed era da lì che veniva soccorso e portato via.

Dopo una settimana riappariva bello e pulito, fanatico come non mai e a chi gli faceva i complimenti giurava di mantenersi così per sempre. Ma era un bugiardo perché quando il vestito da chiaro cominciava a diventare grigio e l'alito diventava pesante, un paio di giorni dopo usciva di nuovo fuori il Barabba zozzo come un maialetto ma libero come il vento.

Eppure quello che più mi colpiva di lui era il suo modo di esprimersi. Non lasciava trapelare il dialetto siciliano e parlava un italiano corretto ed elegante.

Mi sono chiesto tante volte che mistero fosse mai questo, e solo da poco ho scoperto l'arcano. Di recente lo stesso Alfonso ha rivelato di aver frequentato il seminario; del resto, alla sua epoca erano molti i ragazzi di famiglie più o meno modeste che per studiare venivano avviati al seminario, per poi tirarsi indietro al momento di prendere i voti, e magari sposarsi e mettere su famiglia.

Barabba non aveva avuto nessuna delle due vocazioni, e si era sempre sentito un barbone, un anarchico che pagava la sua libertà a caro prezzo e a qualunque costo.

Voi mi chiederete: ma cosa c'entra Barabba con la storia di *Armando al Pantheon*? C'entra perché la sua vita dissennata lo portò lentamente alla cecità e, da barbone fastidioso diventò un figlio sfortunato del Pantheon. Si rivolgeva in particolar modo a noi, con tenerezza, per i suoi bisogni più quotidiani, e da noi ricevette sostegno fino a quando un bel giorno sparì e noi tutti pensammo fosse morto.

Ma ci sbagliavamo perché Barabba Sette vite era stato internato in un ospizio per non vedenti, l'Istituto Romagnoli, e un bel giorno lo vedemmo presentarsi al ristorante all'ora di pranzo tutto pulito e con una bella badante.

A me fece un piacere grandissimo ritrovarlo e da allora non l'ho più perso di vista. Lui si è molto affezionato a me e a tutta la mia famiglia, per noi è come un parente lontano ritrovato. Non è più violento, non è più il Barabba di allora. È venuto al matrimonio della mia secondogenita Fabiana e ancora adesso, tutti i giovedì, viene a pranzo da noi con il sorriso e la tenerezza di un leone ormai vecchio ma mai domito.

Mangia prosciutto, spaghetti aglio, olio e peperoncino, vitello arrosto con patate, dolce e caffè. Ah dimenticavo, ogni volta vuole pagare il conto.

A voi la ricetta degli spaghetti aglio, olio e peperoncino.

Spaghetti aglio, olio e peperoncino

Una volta l'aglio e olio era detta, al pari della cacio e pepe, "la pasta dei cornuti" perché le giovani mogliettine, se avevano qualcosina da fare mentre il marito era al lavoro, non avevano molto tempo per preparare la cena e allora preparavano uno di questi due piatti gustosi e veloci e risolvevano la questione in quattro e quattr'otto, facendo contento il marito, che trovava pronto in tavola, e loro per amore gli accarezzavano la fronte.

Ingredienti (per 6 persone)

600 gr di spaghetti (possibilmente Martelli)
3 spicchi d'aglio rosso di Nubia
3 peperoncini piccanti
olio extravergine di oliva
prezzemolo tritato
sale q.b.

Questa ricetta è semplice ma insidiosissima, perché bisogna essere pronti e accorti nei tempi di esecuzione.

Fate soffriggere in una padellina dell'olio extravergine di oliva con uno spicchio d'aglio tagliato a pezzetti e tre peperoncini.

Quando l'aglio comincia a imbrunire, togliete immediatamente dal fuoco la padellina e versate il contenuto sugli spaghetti, che intanto avete cotto al dente in acqua ben salata e messo in scodelle da portata. Un paio di cucchiai a scodella basteranno. Spolverate con un pizzico di sale e di prezzemolo.

Una piccola nota: c'è chi aggiunge una manciata di pecorino e chi un cucchiaio di pangrattato. A me piacciono in tutti i modi.

Meno male che io, essendo uno chef, me li cucino da solo e non c'è bisogno che me li faccia mia moglie... almeno così può rientrare senza fretta!

Domenica la fioraia

Chi immagina Domenica la fioraia come la dolce ragazza ottocentesca che aspetta la gente all'uscita del teatro con un mazzolino di violette nel cestino di vimini e un sorriso da fatina incantata sul volto sbaglia di parecchio.

Domenica era una vecchia megera artritica dal volto simile alla strega di Biancaneve e con una risata sguaiata e cattiva. Ciò nonostante negli anni Settanta e Ottanta riusciva a vendere i suoi fiori in tutti i ristoranti del centro. Si dice che li andasse a prendere al Verano dopo un funerale, tra quelli abbandonati vicino al deposito mortuario, che li ricomponesse con la carta di giornale e li spacciasse per fiori freschi coltivati da lei in chissà quale campicello vicino Frosinone.

Era molto accorta nello spacciarsi per una fioraia verace e il suo aspetto così folcloristico faceva presa specie sui turisti che la fotografavano per qualche spicciolo come fosse un reperto archeologico.

Entrava nel ristorante all'ora di cena, faceva il giro dei tavoli e con abilità indiscussa riusciva a individuare le sue prede, soprattutto le coppiette con lui un po' più attempato della sua lei, e prima ancora che potessero dirle "No grazie" si ritrovavano col fiore scatorciato in mano e cento o duecento lire di meno nella tasca.

Con quei quattro soldi d'inglese che ciancicava era capace di inventare piccoli aneddoti su attori molto noti, specialmente quelli americani, e i turisti si bevevano tutto e credevano di aver scoperto l'America qui a Roma.

Una delle sue storie più divertenti che riscuoteva sempre molto successo era quella del suo incontro con Marlon Brando e la sua compagna in piazza Navona. La furbacchiona raccontava che una sera aveva offerto dei fiori al tavolo dell'attore, e che poi riconoscendolo si era sperticata in lodi e complimenti veramente sfacciati. Il divo aveva gradito a tal punto che non solo aveva acquistato tutti i fiori, ma addirittura le aveva regalato cinquantamila lire di mancia.

Alla fine però la fioraia, congedandosi dall'attore, lo aveva ringraziato dicendogli «Grazie, Mister Newman! Lei è veramente meglio di Marlon Brando!» E ridendo era scappata via, inseguita dalle minacce divertite del divo.

Domenica a me non era molto simpatica, e forse ve ne sarete anche resi conto, ma pensare a lei è come rivivere un pezzo di storia della gioventù di *Armando al Pantheon*, quando, ancora lontano dall'essere il locale conosciuto e apprezzato che è diventato adesso, era la mia vita, la mia giovinezza.

Lei saltava da un tavolo all'altro per vendere i suoi fiori, perciò a lei dedico i salti in bocca alla romana.

Saltimbocca alla romana

I saltimbocca alla romana sono la mia gioia e la mia dannazione. Sono così famosi nel mondo che tantissimi clienti me li chiedono. E io mi sento un po' come quei cantanti famosi per una canzone, che a ogni concerto gli viene richiesta e si trovano costretti a doverla eseguire anche se ormai sono vecchi come il cucco e per loro non è più stimolante.

Mi scoccia fare i saltimbocca alla romana, ma devo ammettere che mi danno sempre grande soddisfazione. Volete sapere come li preparo? Peggio per voi, ne diventerete schiavi.

Ingredienti (per 6 persone)

12 fettine di vitello magre
12 fettine di prosciutto crudo dolce
12 foglie di salvia fresca
½ bicchiere di vino bianco
burro, olio e sale q.b.

Fatevi tagliare dal vostro macellaio dodici fettine di vitello magre e senza nervature, di noce o di girello sono perfette. Per ogni persona ne occorrono due da una novantina di grammi l'una, quindi per i soliti sei ci vogliono dodici fettine.

Prendete dodici fettine non enormi di prosciutto dal salumiere e dodici foglie di salvia fresca dal fruttivendolo o dal vaso del vostro terrazzo. Il vino bianco voglio sperare che lo abbiate in casa.

In una padella grande con un po' d'olio aggiungete il burro e fatelo fondere a fuoco bassissimo. Intanto prendete le fettine e poggiateci sopra le fette di prosciutto, fissando le foglie di salvia con uno stecchino.

Quando l'olio vi chiama sfrigolando, mettete i salti in bocca nella padella, fateli cuocere per un paio di minuti e poi voltateli e attendete di nuovo. Quindi voltateli per l'ultima volta, e a questo punto, quando sono ormai belli rosolati, annaffiateli con il vino bianco. Quando si sarà formata una bella cremina, toglieteli dalla padella e serviteli nei piatti belli caldi.

Mangiateli subito, e se li avrete fatti bene vi salteranno in bocca!

Renato Righetti e l'eroica vigilessa

Anche Renato, dottore in economia e romanista vero, è un personaggio importante nella storia di *Armando al Pantheon*. Ci ha sempre accomunato l'amore spropositato per questa città e per tutto ciò che prende il nome da Roma.

Armando lo conobbe quando veniva con la fidanzatina Claudia e mangiavano felici le polpette di carne al sugo e la carbonara. Poi si sposarono, ma questa è un'altra storia.

Renato veniva da noi dopo cena, verso la fine del lavoro e ci sedevamo a un tavolo davanti a una birra e gassosa e cominciavamo a parlare di Roma e della Roma. Memorabili le nostre chiacchierate nel ricordare uno ad uno tutti gli imperatori di Roma, da Giulio Cesare fino a Romolo Augustolo, in un'escursione storica di cinquecento anni. Che serate pazzesche.

Fingevamo di venire dal futuro e di uccidere Bruto con un proiettile di ghiaccio, prima che lui uccidesse Cesare, così l'imperatore avrebbe avuto il tempo per completare le sue conquiste. L'annientamento dei Parti e degli Alemanni. Avremmo così salvato il mondo da personaggi come Adolf Hitler e Saddam Hussein. Ci sentivamo fighi a quei tempi e tutto era molto divertente.

Una sera accadde un fatto veramente buffo. Eravamo appena usciti da Armando quando vedemmo parcheggiata tra le colonne del Pantheon una Fiat 850 con il motore acceso. La cosa ci parve strana e ci fermammo per vedere cosa volesse fare il tipo al volante.

Non passò un minuto che quello ingranò la marcia e puntò a tutta velocità una coppietta di ragazzi che passeggiavano in mezzo alla piazza. Il tipo si fermò con una frenata secca. I due fecero un grande salto, impauriti e arrabbiati. Subito dopo, come se niente fosse, ingranando la marcia indietro, l'auto andò a posizionarsi di nuovo sotto le colonne.

Quel fuori di testa rifece lo scherzo altre quattro o cinque volte, mentre nel frattempo altra gente si era fermata a guardare, fino a quando non intervennero i vigili urbani avvisati da qualcuno. Dopo il fermo e la richiesta dei documenti scoppiò una lite furiosa e il pazzo diede uno schiaffone a un povero e attempato vigile.

Noi stavamo lì a guardare, tra il perplesso e il divertito, l'evolversi della situazione. Dopo lo schiaffo al vigile tutti si erano fermati, indecisi sul da farsi, quando all'improvviso da un'auto d'ordinanza scese rapidamente una vigilessa alta un metro e novanta. Sicura, bella e incazzata.

Si avviò verso lo sbandato e, appena gli fu a tiro, gli rifilò un paio di ceffoni che lo lasciarono secco. Subito dopo lo afferrò per la collottola e lo spinse verso l'auto di servizio. Aperto lo sportello, lo scaraventò con violenza sul sedile di dietro e, con i suoi tre colleghi ripresisi dallo sbandamento, partì a razzo verso il comando. Da tutti si levò un applauso all'indirizzo dell'eroica vigilessa.

Nei giorni seguenti non parlammo d'altro. Offrimmo un caffè a un nostro amico vigile per cercare di sapere il nome, l'età e lo stato civile di quella dea vestita da pizzardone, ma rimase per sempre un mistero.

Un altro ricordo che mi lega a Renato è quello della mancata vincita alla Lotteria di Capodanno. Avevo sognato di andare con lui a comprare dieci biglietti della lotteria in un certo bar dietro piazza Navona, un giorno in cui la Roma giocava di sabato, e pagavamo i biglietti con i soldi di Renato.

Raccontai il sogno e scoprimmo che in effetti la Roma avrebbe giocato l'ultimo sabato prima di Natale (allora non era come adesso che le partite si giocano quasi tutti i giorni, perciò una partita giocata il sabato era quasi un evento) e quindi il sogno rispecchiava per certi versi la realtà. Decidemmo così di comprare i biglietti con le modalità del sogno, ma purtroppo Renato quel giorno magico non si sarebbe trovato a Roma ma a Petra per un viaggio culturale programmato da tempo.

Perciò decidemmo che sarei andato a comprare i biglietti ma con i suoi soldi. E così facemmo. Andai il giorno stabilito, presi i dieci tagliandi e li misi dentro una busta, che sigillai e misi via nella cucina di Armando. Passarono le feste. Venne la Befana e con lei l'estrazione. Il secondo premio di quattro milioni e mezzo di lire fu vinto a Roma. Aprimmo la busta. Uno dei biglietti aveva la stessa combinazione e tutti i numeri di quello vincente tranne l'ultimo. Qualcuno aveva acquistato il biglietto dopo di me e aveva vinto!

Nessuno ci ha mai tolto dalla testa che se Renato avesse comprato lui i biglietti, come nel sogno, a quest'ora staremmo parlando di un'altra storia, forse meno affascinante ma sicuramente più... ricca!

Di recente ho incontrato Renato, che è andato in pensione. Non ci frequentiamo più come prima, le nostre vite hanno seguito strade diverse, ma quei giorni, quei ricordi, quelle belle chiacchierate, neanche il tempo carogna potrà più toglierceli.

Dedicare a lui la carbonara mi sembra doveroso.

La carbonara

Diciamo subito che la carbonara è un piatto che si è affacciato di recente sul panorama della cucina romana. C'è chi dice che addirittura siano stati gli americani nel dopoguerra a inventarla, usando il bacon e le loro uova in polvere per condire la pasta nostrana di cui erano ghiotti. Personalmente non mi preoccupo più di tanto di conoscerne l'esatta provenienza perché trovo la ricetta talmente buona da essere più che degna di essere annoverata tra le tipicità della cucina romana.

Ecco la sua ricetta.

Ingredienti (per 6 persone)

700 g di spaghetti
150 g di guanciale
4 uova intere
150 g di pecorino e parmigiano
2 cucchiai d'olio
1 goccio di vino bianco
sale e pepe q.b.

Allora, la partita si gioca su vari campi. Innanzitutto prendete una zuppiera e dentro ci sbattete le uova e parte del formaggio, e aggiustate con sale e pepe.

In una bella padella capiente fate soffriggere il guanciale con l'olio, e per mantenerlo morbido sfumatelo con un goccio di vino bianco.

Intanto fate cuocere la pasta in abbondante acqua salata. Quando la pasta è bella al dente tuffatela nella zuppiera e amalgamate per bene con le uova e il formaggio.

Servite nelle scodelle e aggiungete a ognuna un cucchiaio di guanciale soffritto caldo e una spolverata di formaggio e pepe.

Il difficile sta nel giusto equilibrio tra la cottura dell'uovo e la cremosità della pasta... ma questo non si può imparare se non con l'esperienza.

Enzo Pompei, il primo vinaio di *Armando al Pantheon*

Arrivava in Salita de' Crescenzi con il suo camion carico di barili verso le otto del mattino, non più tardi perché altrimenti avrebbe avuto difficoltà a trovare un parcheggio.

A quei tempi si usava riempire dieci damigiane da cinquanta litri ciascuna con un tubo di caucciù, le quali poi venivano svuotate con l'aiuto di bottiglioni da dodici litri l'uno, che a spalla venivano portati su dalla cantina e versati nelle "cavole" refrigerate della ghiacciaia per la distribuzione finale ai clienti che l'ordinavano in formato di un tubo, 'na fojetta, e mezza fojetta (tubo = 1 litro, fojetta = ½ litro, mezza fojetta = ¼ litro).

Era elegante come un dandy. Sceso dal mezzo, si toglieva la giacca e indossava un grembiule grigio, ed era bello ed elegante anche con quello. Enzo Pompei, figlio di Umberto detto Portafoglione, vinaio di Monteporzio Catone, paese dei Castelli Romani appena sopra Frascati, era un bell'uomo, colto e raffinato. È stato uno dei primi sommelier italiani nonché il precursore dei produttori vinicoli dei giorni nostri.

Fu il primo a rifornire *Armando al Pantheon* dell'ottimo vino dei Castelli. Fu colui il quale credette in mio padre fin dall'inizio della sua avventura, rifornendolo e aspettando per il pagamento il tempo che gli ci volle per avviare il locale.

All'epoca Enzo possedeva l'auto dei miei sogni, un'Alfa Romeo Giulietta blu, di una bellezza da mozzare il fiato. Il viaggio fatto con lui, papà e mamma, da Roma a Monteporzio e ritorno, per andare a pranzo a casa sua, con quel prodigio silenzioso e filante, resta uno dei ricordi più indelebili della mia vita.

Tutte le volte che si trovava a Roma Enzo mangiava da noi. Amava i piatti di Armando, tosti e seri, vero tesoro della storia della nostra famiglia, costituito dalle ricette custodite gelosamente da nonna Rosa e da quelle aggiunte in seguito da mamma Velia. Fettuccine con le regaje, pollo al vino bianco, polpette fritte con la cicoria, minestra di farricello... La vera cucina romana, bagnata da quel suo bianco di Frascati, forse un po' ignorante se paragonato ai "dotti" vini di adesso, ma che andava giù che era una bellezza e dava allegria e voglia di vivere.

Di Enzo ricordo la passione per le fave al guanciale. Una mattina di maggio Armando le stava cuocendo per il pranzo; Enzo dopo aver scaricato il vino dal camion giù in cantina, sentì il profumo e non seppe resistere... prese una rosetta ancora calda e se la fece riempire, la mangiò, e subito dopo chiese il bis e il tris, fino a cinque volte di seguito. Quel giorno non si fermò a pranzo.

Enzo si sposò con una bella monteporziana di nome Tina, ebbe tre figli, e dopo qualche anno aprì una fraschetta che poi trasformò in un ristorante chiamato "I Tinelloni".

Oggi, a oltre ottant'anni Enzo, è ancora un gentiluomo elegante e cortese, dà una mano al ristorante, dove Tina e una delle figlia sovrintendono alla cucina, consiglia con grande competenza abbinamenti di cibo e vini e quando lo vado a trovare ci scambiamo momenti di tenera felicità.

«Claudio caro, ti devo fare i complimenti perché sei diventato un grande cuoco!» mi dice ogni volta, però non manca di aggiungere: «Perdonami se te lo dico, ma le fave al guanciale che faceva tuo padre sono rimaste un qualcosa di irraggiungibile!»

Monsieur le Sommelier Enzo Pompei, lunga e felice vita a te!

A lui dedico la ricetta delle fave al guanciale.

Le fave al guanciale

Le fave al guanciale, dette anche vignarola, sono uno dei piatti più buoni della cucina romana. La semplicità e la freschezza sono il segreto di questo piatto. Le fave fresche si trovano in commercio in tarda primavera, che con i suoi colori e il suo sole riempie lo spirito e il cuore e predispone alla gioia di gustare un qualcosa che sappia di antico, di storia, di terra.

Preparatevi a fare un giro per il mercatino rionale verso maggio per cercare sui banchi dei vignaioli le fave fresche appena colte. Prendetene tre chili di dimensioni medie, insieme con un paio di chili di lattuga e una bella cipolla bianca.

Passate dal vostro salumiere di fiducia, da cui vi fate dare 300 grammi di guanciale di ottima qualità (Bassiano, Montefiascone o Norcia sono perfetti) affettato ben spesso, e tornate a casa a preparare questo piatto semplice e irresistibile.

Ingredienti (per 6 persone)

3 kg di fave fresche
2 kg di lattuga
300 g di guanciale
1 cipolla bianca media
100 cl di vino bianco
olio extravergine di oliva
sale e pepe q.b.

Mettete in una casseruola un filo di olio extravergine di oliva, mezza cipolla tagliata a fettine sottili e il guanciale a lamelle abbastanza spesse.

Annaffiate con un goccio di vino bianco e, una volta fiammeggiato, ci mettete dentro le fave, naturalmente sbucciate da qualche amica o amico, fate voi, di buona volontà.

Fate cuocere a fuoco moderato per cinque o sei minuti. A questo punto, aggiungete la lattuga precedentemente lavata, tagliata a pezzi non tanto piccoli e asciugata.

La lattuga porterà dolcezza alle fave, togliendole l'amaro della buccia.

Coprite e lasciate cuocere a fuoco vivace.

Dopo pochi minuti, quando le fave ancora verdi sono ormai tenere e la lattuga, quasi spappolata, fa parte integrante del tutto, toglietele dal fuoco.

Aggiustate di sale e pepe e servite in tavola questo ben di dio, su crostini di pane o, come la mangiò all'epoca Enzo, dentro una fantastica rosetta croccante.

Pietro ed Elisabetta Zimmerman

Pietro ed Elisabetta Zimmerman, svizzeri di Araau, sono stati i primi clienti storici del nostro locale.

Pietro, professore di letteratura tedesca, e la moglie Elisabetta, capitarono da *Armando al Pantheon* un venerdì sera del 1962. Erano semplici turisti e furono attirati dentro il nostro locale da un profumo irresistibile.

La sala era modesta, come modesti erano gli avventori che sedevano ai tavoli. C'era la segatura a terra, le tovaglie erano di carta come anche i tovaglioli; si parlava in dialetto romanesco, si sentivano le risate dei clienti e dei giocatori di carte, e c'era un incredibile odore di cucinato: il massimo per degli "svizzerotti" alla scoperta della Roma autentica

Si sedettero e Armando, che li trovò subito simpatici, propose loro delle bruschette con burro e alici, la pasta e ceci, e poi scese in sala con tutta la tiella del baccalà alla pizzaiola, per far vedere di cosa si trattava, visto che non riusciva a farsi capire.

Gli Zimmerman accettarono felici il consiglio e mangiarono il migliore baccalà che avessero mai gustato in vita loro. Apprezzarono molto anche le bruschette, la pasta e ceci, l'ambiente, ma soprattutto si innamorarono di Armando e della sua romanità.

Da quel lontano '62 tutta la famiglia Zimmerman venne sempre a trovarci almeno due volte all'anno. Un'amicizia durata oltre quarantacinque anni. Loro sono stati la nostra famiglia svizzera e noi la loro famiglia italiana.

Pietro rimase molto colpito dalla scomparsa di papà avvenuta nel '98, ma ha continuato a venire a Roma fino a quando, ormai anziano e malato, non ce l'ha fatta più. Elisabetta vive ancora nella loro casa di Araau, e i figli Martin e

Maja quando possono vengono a trovarci. Per loro un posto da *Armando al Pantheon* c'è e ci sarà sempre.

A loro, alla nostra bella famiglia svizzera è dedicato il baccalà alla pizzaiola, come lo cuciniamo da *Armando al Pantheon*.

Baccalà alla pizzaiola

La scelta del baccalà, per la riuscita di questo piatto, è essenziale: devono essere dei filettoni di San Giovanni o Gaspé (dal nome della penisola dove viene lavorato in Canada), che sono i migliori e quindi perfetti per il nostro piatto.

Ingredienti (per 6 persone)

1,5 kg di filettoni di baccalà già ammollato
1,5 kg di patate gialle
1,5 kg di pomodori pelati
3 spicchi d'aglio
olio extravergine di oliva
prezzemolo triturato
pepe

Trovate questo baccalà, possibilmente già bagnato e desalato, ne prendete un paio di filettoni e li tagliate ognuno in tre pezzi.

Disponeteli uno accanto all'altro in una teglia oleata insieme con delle patate a pasta gialla tagliate à la julienne. A questo punto, distribuite del pomodoro pelato crudo sopra il baccalà e aggiungete su ogni pezzo un mezzo spicchio d'aglio, una spolverata di prezzemolo fresco tritato e, senza aggiungere sale, infornate a 250°C.

Non ci sarà da aspettare molto, quando il sugo si sarà addensato e le patate saranno cotte, il baccalà sarà pronto.

Guarnite con un bel ciuffo di prezzemolo e i vostri invitati si leccheranno le dita!

Luigi Serafini e l'uovo primordiale

Le più belle ragazze che ho visto frequentare *Armando al Pantheon* erano quasi sempre le muse, le modelle, gli amori, le amiche di quel grandissimo artista contemporaneo che risponde al nome di Luigi Serafini. Erano la sua ispirazione, la sua arte.

Luigi, quasi mio coetaneo e caro amico da oltre trent'anni, è un pittore, uno scultore, un designer, un artigiano, un intellettuale eclettico e raffinato.

Luigi entra profondamente nella storia di *Armando al Pantheon*. Il suo studio, che è anche la sua abitazione e un museo, si trova a dieci metri da noi, e la sua presenza continua, nell'arco di tre decenni, è andata di pari passo con l'evoluzione della sua e della nostra storia. Un'empatia cosmica totale.

Tutti i personaggi che sono venuti a contatto con lui per un qualche motivo sono diventati anche nostri clienti e molti di loro persino amici. Mi vengono in mente Vittorio Sgarbi, Bonito Oliva, Anna Bonaiuto, Bridget Fonda e Danny Elfman (compositore delle colonne sonore di tantissimi celebri film).

Luigi ha anche dato il nome a uno dei nostri antipasti, la Bruschetta alla Serafini: due fette di pane casereccio, una ripiena con un uovo di quaglia e tartufo nero di Norcia e nell'altra una fettina di lardo di Colonnata e gheriglio di noce.

Ma soprattutto è l'autore del logo che si trova su tutte le nostre stoviglie, le magliette, le parannanze, i biglietti e tutto ciò che riguarda *Armando al Pantheon*. Luigi Serafini, famoso nel mondo per il suo libro di metamorfosi, il *Codex Serafinianus*, nel nostro logo ha voluto la metamorfosi del foro centrale del Pantheon, che attraverso un percorso di linguaggio, noto soltanto a lui, si trasforma in un uovo, ma non in un uovo qualsiasi, bensì nell'uovo primordiale, il centro dell'universo.

Quindi, se il Pantheon è il centro dell'universo, anche *Armando al Pantheon* lo è. Che concetto sublime! Un vero onore, una metamorfosi esemplare di una piccola osteria della Roma degli anni Sessanta, che nel suo percorso, fatto di sacrificio, dedizione, lavoro, ricerca, amore e passione, è riuscita a mutarsi da pane, vino e segatura in quello che Luigi ha identificato con il foro centrale del Pantheon, con il vero centro dell'universo.

Luigi Serafini è parco nel mangiare, e anche se a volte ama le mie sperimentazioni, quando voglio andare sul sicuro lo rendo felice preparandogli la minestra di broccoli in brodo d'arzilla, che gli dedico.

Minestra di broccoli in brodo d'arzilla

Questa è veramente un'escursione nella cucina romana. Ricordo che quando ero piccolo mangiavo la minestra di broccoli in brodo d'arzilla cucinata da mia nonna quasi sempre in prossimità del Santo Natale.

Ma che cos'è l'arzilla? Il nome esatto sarebbe Raja clavata o Razza, ma è comunemente chiamata arzilla. È un pesce di poco valore da un punto di vista commerciale, perché è definito insipido e duretto; ma a noi romani è sempre piaciuto e l'abbiamo sempre usato nella nostra cucina.

L'arzilla non ama il pomodoro e va cucinata in bianco. L'arzilla è la regina del bianco. E questa caratteristica è talmente radicata in noi romani che abbiamo un detto molto significativo, "Sta in bianco come l'arzilla", per riferirci a una persona povera.

Un'altra cosa contraddistingue questo pesce, una specie di certificato di garanzia della sua bontà: se non viene consumato fresco, diventa immangiabile perché assume un odore molto pungente, insomma puzza.

Mettetevi alla ricerca di un pescivendolo serio (nel vostro mercato sicuramente ce n'è più di uno), e fategli capire che siete dei veri intenditori. Non fatevi abbindolare dalle ali grandi (quella è roba oceanica con sapori sbiaditi e incerti), cercate invece un'arzilletta da un paio di chili, possibilmente della specie chiodata (clavata) denominata così a causa di piccole spine sulla superficie bianca, ovvero la pancia.

Non è molto semplice pulire l'arzilla, perciò è meglio farvela pulire dal pescivendolo, da cui vi fate regalare un ciuffo di prezzemolo. Dopo aver comprato qualche limone, un bel broccolo romanesco, una cipolla, una carota, un sedano, qualche filetto di alici e un pacco di spaghettoni, ce ne andiamo a casa, belli come il sole, a cucinare la più buona minestra della cucina romana.

Ingredienti (per 6 persone)

1 razza da 1/1,5 kg
400 g di spaghettoni spezzati
1 cima di broccolo romanesco da 1 Kg
3 filetti di alici
80 g di pecorino romano grattugiato al momento.
5/6 pomodori San Marzano pelati
½ bicchiere di vino bianco
olio extravergine di oliva
prezzemolo
carota
sedano
aglio
cipolla

In una pentola di acqua fredda leggermente acidulata con un pezzetto di limone e salata il giusto, immergete l'arzilla, dopo averla ben lavata, e portatela a cottura.

A parte, in un'altra casseruola capiente preparate un soffritto con la cipolla tritata fina, l'aglio schiacciato, i filetti di alici, la carota tagliata à la julienne e il sedano tagliato molto finemente.

A questo punto, aggiungete i broccoli tagliati e puliti e, un po' alla volta, tutto il brodo di cottura dell'arzilla. Quando i broccoli sono quasi pronti, spezzate gli spaghetti e metteteli a cuocere nel brodo d'arzilla insieme ai broccoli.

Servite al dente in terrine medie, dopo aver spolverato ognuna con del pecorino romano e aver aggiunto un filo d'olio a crudo.

Gli ossibuchi cremolati di Alessandro Baricco

Alessandro Baricco è un nostro cliente e amico da ormai un decina d'anni. La prima volta che venne mi emozionai parecchio. L'autore di *Novecento*, *City* e *Seta*, libri da me letti e adorati, era per me un mito. Io mi diletto a scrivere e lui era, ed è tutt'ora, un mio punto di riferimento.

Alessandro ama gli ossibuchi cremolati e quando viene non gli resiste. Ogni volta che prenota, la prima cosa che faccio è tenerglieli da parte, e lui questo l'apprezza.

Quando la confidenza tra noi mise radici, trovai il coraggio di parlargli del mio hobby: lo scrivere. Gli raccontai che avevo vinto dei concorsi di prosa, che avevo scritto commedie che erano andate in scena in un paio di teatri anche abbastanza noti.

Lui sorrideva di queste mie vittorie, e da allora, ogni volta che viene, prima di sedersi al tavolo si affaccia in cucina e mi domanda quale concorso ho vinto tra una sua venuta e l'altra.

Una volta gli diedi da leggere un mio racconto che si era piazzato molto bene in un concorso indetto dal circolo Pickwick di Besana in Brianza, Mastro Cesare e sua moglie Ida. Lui lo prese e io pensai che, come tutti quelli che gli avevo dato in precedenza, l'avrebbe messo da una parte e se ne sarebbe dimenticato. Non fu così.

Quando andai alla presentazione, presso la Feltrinelli di largo Argentina, del suo romanzo *Emmaus*, mentre facevo la fila in attesa di farmi autografare il libro appena comperato, mi salutò con un cenno della mano e un sorriso.

Devo dire la verità: feci un po' il fanatico con quelli che erano in fila come me e che mi guardarono curiosi, chiedendosi chissà chi fossi per essere così in confidenza con Baricco. Non li degnai di uno sguardo e con un'aria da intellettuale mi misi a sfogliare distrattamente la copia che tenevo in mano.

Arrivato davanti a lui, Alessandro, si alzò e abbracciandomi mi disse di aver letto il racconto e che gli era piaciuto, poi con un sorriso mi scrisse questa dedica:

Al Maestro, cui però prometto una lezioncina!
Alessandro Baricco 4 novembre 2009

La "lezioncina" sono ancora in attesa di riceverla, ma lui, il mio amico Baricco, si ricorda ancora di quella promessa fatta e ogni volta che viene da noi mi dice che prima o poi si metterà seduto con me, dopo cena, e mi insegnerà un paio di tecniche da scrittore, al prezzo di un meraviglioso, unico, infinitamente buono ossobuco cremolato.

Questa è la ricetta degli ossibuchi. Una ricetta che viene dai lontani anni Sessanta ma sempre incredibilmente attuale.

Ossibuchi cremolati con piselli e funghi

Gli ossibuchi si ricavano dai garretti della vitella. Possono essere anteriori (i più pregiati perché, essendo l'osso più grande, contengono più midollo) o posteriori.

Ricordo che da bambino mi mettevo in cucina per vedere come Costantino faceva gli ossibuchi cremolati con piselli e funghi. Costantino è stato il primo e unico cuoco che ha avuto *Armando al Pantheon* prima che papà decidesse, invocato a furor di popolo, di sostituirlo al comando dei fornelli.

Era un cuoco di consolidata tradizione, non un fenomeno ma un discreto conoscitore del mestiere. Non riuscì a conquistare il cuore di mio padre per un semplice motivo: non era capace d'immettere nella sua arte un ingrediente indispensabile, la passione.

Io, che allora avevo dieci anni, spesso dopo la scuola salivo in cucina e mi mettevo accanto a lui a osservarlo lavorare. Ero curioso e gli domandavo di tutto, e lui come premio per merenda mi cucinava un'omelette alla marmellata, spacciandola per un prestigioso piatto francese e che, solo molti anni dopo, ho scoperto essere un'antica ricetta della tipicità culinaria laziale.

Proviamo a rifarli insieme.

Ingredienti

6 ossibuchi di vitello di quarto posteriore
500 g di piselli scafati
150 g di farina 00
80 g di funghi champignon
¼ vino bianco
olio
aglio
cipolla
sedano
carota
prezzemolo
sale q.b.

Gli ossibuchi che vi propongo sono alla romana e quindi non sono accompagnati dal riso ma sono guarniti con piselli e funghi.

Dal solito macellaio fatevi tagliare sei ossibuchi di quarto anteriore. Poi comprate un chilo di funghi champignon e la stessa quantità di piselli, una bella cipolla bianca, una costa di sedano e una carota.

Mettete a cuocere i piselli in un tegame con un soffritto di cipolla e sale. Preparate i funghi in un altro tegame con uno spicchio d'aglio e prezzemolo tritato.

Bisogna stare attenti ai nervetti che si trovano nella parte esterna perché tendono a ritirarsi con il calore e in questo modo la carne si raggrinzisce e non si cuoce perfettamente.

Allora cosa fare? Con un paio di forbici fate delle piccole incisioni sui bordi degli ossibuchi, infarinateli leggermente e metteteli a cuocere uno accanto all'altro nell'olio bollente dentro una padella capiente dai bordi alti.

Fateli rosolare e, dopo averli girati un paio di volte, aggiungete un battuto di cipolla, carota e sedano. Lasciateli rosolare ancora cinque minuti e poi aggiungete vino e acqua calda fino a coprirli completamente; man mano che l'acqua evapora si forma una cremolatura densa e saporita.

Solo quando gli ossibuchi risultano teneri al contatto con la forchetta aggiungete i piselli e i funghi.

Inutile dirlo che vanno serviti caldi.

Maria

Ma le donne da *Armando al Pantheon*? Be', eccone una fantastica: Maria. Quasi tutte le sere Maria, prima che io cominciassi a lavorare da *Armando al Pantheon*, aiutava mio padre. La mattina lavorava in Vaticano, dove si occupava di spedizioni, ma molte sere a settimana era al fianco di Armando.

La leggenda dice che se non ci fosse stata lei *Armando al Pantheon* non sarebbe neanche esistito. Sempre la leggenda narra che Armando, prima di essere l'uomo del Pantheon, era un bravo lavoratore, ma aveva il vizio, o il vezzo, di buttare un po' al vento i soldi così faticosamente sudati. Cavalli, amici, frivolezze... Insomma, Armando non dava molta importanza ai soldi.

Si dice che Maria, con santa pazienza e tanto amore, riuscì a cambiarlo e lo convinse ad aprire un'attività tutta sua. Lui l'ascoltò, abbandonò le corse dei cavalli, cominciò a frequentare gli amici con più cautela e cominciò a vivere la vita da uomo maturo quale ormai era.

Prima del Pantheon papà ebbe altre due esperienze: la prima in via Carlo Alberto, dov'è ora *Agata e Romeo*, la seconda in via della Cava Aurelia, vicino a San Pietro. Maria gli fu sempre vicino, con impegno e amore.

Il Pantheon era nel destino e, si sa, quando il fato decide una cosa, non gli si può sfuggire. Nel 1961 in Salita de' Crescenzi nacque la nostra storia. È lì che il destino ci voleva, è lì che Maria diede ad Armando il coraggio di aprire la sua trattoria. Purtroppo restò con noi troppo pochi anni.

Una notte Maria fu presa da fortissimi dolori. Fu operata due giorni dopo con la diagnosi di una pancreatite acuta emorragica. Non ci fu niente da fare. Morì dopo una settimana. Il vuoto che lasciò fu incolmabile. Io e mio fratello Fabrizio, che allora aveva otto anni, ancora adesso, a distanza di quarantaquattro anni, ne sentiamo la mancanza. Armando reagì a modo suo. Fu forte, eroico.

Maria serviva ai tavoli, Maria lavorava in Vaticano, Maria era la moglie di Armando, Maria era... nostra madre!

A lei non dedico ricette, a lei e Armando è dedicato tutto questo libro.

Tanti altri

Ci sono alcune persone che, nel bene o nel male, sono degne anche per un solo rigo di essere citate in questa incursione negli oltre cinquant'anni di vita di *Armando al Pantheon* perché hanno contribuito a dargli un'anima e a farne la storia.

Salvatore il Santaro, quello che ha informato mio padre della vendita di quel ristorante alla Salita de' Crescenzi 31 che poi sarebbe diventato *Armando al Pantheon*. Veniva con la sua signora francese Madame, che amava moltissimo le poullet o vin blanche di papà.

Ernesto, Romolo, Tullio, Mario, Peppe, Gnagni, Noris, Teresa, Pina, Mery, Fernandino, e Fernando detto Nando, amici rumorosi di carte, vino e mangiate romane che il venerdì sera davano vita nel nostro ristorante al temutissimo "Nandus Dei": con il loro imbarazzante vernacolo e con le interminabili partite a carte coinvolgevano anche Armando e ci facevano fare sempre molto tardi.

Il dottor Mosca era un caro amico e il ricordo che ho di lui è splendido. Non potrò mai dimenticare i nostri pranzi e le nostre conversazioni, io poco più che dodicenne e lui paziente e colto. Mi ha insegnato a parlare di letteratura, arte, politica, calcio, automobili, ma sempre con eleganza e il giusto distacco. Era fiero della sua Giulia Alfa Romeo, quella fabbricata a Milano.

Era un piemontese di Asti, ma aveva vissuto a lungo in Africa e aveva sofferto il mal d'Africa. Era separato e aveva due figli, un maschio e una femmina che vivevano con la madre. Forse per lui io ero quel figlio che gli era distante. Grazie di tutto, dottor Mosca.

Claudio il cameriere, Maria Grazia, detta "la pedalina" per il suo moto perpetuo, Gabriella, la cassiera del cinema Capranica, che mi regalava i biglietti omaggio e il suo eterno fidanzato Bruno. Il Cavallo, giornalaio, e gli altri amici impiegati delle poste che la sera giocavano a pallone sotto il Pantheon... Che tempi...

Il Maresciallone era un maresciallo dell'Arma che conosceva papà dai tempi di via del Mancino. Era di taglia extralarge e comandava la stazione di piazza Venezia. Lo ricordo con affetto perché ogni anno il 2 giugno mi rimediava i biglietti per assistere alla sfilata delle Forze Armate in via dei Fori Imperiali.

I miei amici facevano a gara per venire con me, e qualche volta sulla tribuna assegnataci riuscivo a farne imbucare più di uno. Poi si tornava al Pantheon e gli spaghetti alla carbonara erano il nostro piatto preferito.

Il ragionier Cecchini, logorroico e «Te lo ricordavi?»: la sua domanda tormentone.

Il mite Martinetti con il suo pastore maremmano, che si spaventava a udire il "Vincerò!" della Turandot, cantato a squarciagola dal dilettante tenore nonché tappezziere Cesare Sideri. E ancora: Paolo er gazzosaro dell'acqua San Paolo. Peppe della Coca Cola, quello che quando incontrava mia zia Marcella in via dei Giubbonari le gridava «Marcella non mi dire così! È più forte di me!!!» prendendosi, sistematicamente, un sonoro vaffanculo da quella piccola peste che era la sorella di mio padre.

Paliano, colto e impegnato, dai cinque Campari a colazione, e suo nipote Maurizio svampito e burlone. Silvio, Giancarlo, Enza, Mirella, Nino, Gianni, Paola.

La cricca del Baseball, la Blue Basic. La palla di un loro fuoricampo a cui assistei e che gli diede la vittoria all'ultimo lancio di quella partita, è da oltre trent'anni sopra una mensola della sala di *Armando al Pantheon*, e lì resterà, potete giurarci.

Venivano il martedì sera. Pur potendo scegliere liberamente, il loro era un pasto a prezzo fisso. Qualcuno, il più furbetto, a volte ne approfittava ordinando cose un po' più raffinate e costose come i filetti di manzo, ma per me erano come fratelli, e appena finivo il lavorare mi fermavo a parlare con loro di tutto e di più. Di politica, sport, donne, libri... e della nostra "Magggica Roma". Daniele, Stefano, Pucci, Titti, Franchino. Forse mi è sfuggito qualche nome, ma non mi porti rancore. Sono passati talmente tanti anni. Stefano è ancora oggi il mio dentista, gli voglio bene ed è un caro amico.

Voglio raccontarvi un piccolo aneddoto sul rapporto che mio padre aveva con Stefano. Un giorno d'estate, Armando, ormai anziano, stava in vacanza a Norcia, quando gli si ruppe la dentiera. Stefano, chiamato da me, partì da Roma per prenderla e farla riparare.

Al ritorno, sempre nella stessa giornata, Armando la indossò, ma gli dava un po' di fastidio alle gengive. Così Stefano provò ad adattarla diverse volte, e alla quarta Armando lo guardò con la faccia seria e gli disse: «Ma sei sicuro che 'sto mestiere è er tuo?!»

Stefano e io ancora ci ridiamo su. E a volte, quando sono seduto sulla poltrona nello studio di Stefano e lo vedo col trapano in mano attentare alla mia bocca, penso alla domanda di mio padre.

Concludo con gli attori e i personaggi famosi, che frequentandoci hanno anche loro contribuito alla storia di *Armando al Pantheon*. Non commenterò, non me li ricorderò tutti e prego quelli che non mi verranno in mente di non prendersela. Eccoli: il professor Zichichi, il professor Rubbia, Pelè, Dario Fo, Franca Rame, Adalberto Maria Merli, Sabrina Ferilli, Francesca Neri, Francesca Reggiani, Astor Piazzola, Nino Rota, Bridget Fonda, Arnoldo Foà, Mario Monicelli, Roberto Vecchioni, Francesco Guccini, Serena Dandini, Ivana Monti, Valeria Golino, Terence Hill, Paolo Villaggio, Antonio Albanese, Luca Ronconi, Elvira Sellerio, Giorgio La Pira, Bianca Berlinguer, Totò Cascio, Nicola Piovani, Francoise Fabien, Rosa Fumetto, Lucrezia Lante Della Rovere, Antonello Ruffo di Calabria, Citto Maselli, Nanni Loy, Mauro Bolognini e molti altri.

A tutti loro dedico due mie care ricette: i bucatini all'amatriciana e gli gnocchi di patate alla romana.

Bucatini all'amatriciana

L'amatriciana è un altro di quei piatti che fanno la storia di *Armando al Pantheon*. Spesso mi chiedono se si dica "matriciana" o "amatriciana" e il perché di questo nome. Noi l'abbiamo sempre chiamata amatriciana.

Questo piatto prende il nome da Amatrice, un paese del Lazio. Ma in fondo che importanza può avere? Sono la bontà degli ingredienti e la sua semplicità che ne fanno uno dei piatti più buoni della cucina romana.

La versione più pura la vede molto simile alla gricia, con pecorino, guanciale e pochissimo pomodoro, mentre adesso si usa farla con una presenza di pomodoro più marcata.

Ingredienti (per 6 persone)

600 g di bucatini
125 g di guanciale
6/7 pomodori di San Marzano
100 g di pecorino romano grattugiato
½ bicchiere di vino bianco secco
1 cucchiaio d'olio extravergine di oliva
sale q.b.

Eccovi in cucina, mentre di là ci sono tutti i vostri amici a cui avete detto che la vostra amatriciana è la migliore di Roma e non vedete l'ora di dimostrarglielo.

Per prima cosa mettete sul fornello una bella pentola di acqua calda, la salate e mentre aspettate che giunga a ebollizione per tuffarci un pacco di bucatini, preparate il sugo che lascerà tutti a bocca aperta.

In una padella mettete dell'olio extravergine di oliva, a cui andrete ad aggiungere del guanciale di ottima qualità, perciò non quello industriale ma piuttosto uno di Amatrice, Montefiascone, Bassiano o Norcia, insomma un guanciale stagionato e saporito il giusto; tagliatelo a listarelle abbastanza spesse e lasciatelo sfriggere nell'olio fino a farlo diventare croccante. A questo punto, sfumate con vino bianco, quello dei Castelli Romani va bene, e poi, subito dopo, toglietelo dalla padella e mettetelo da parte.

Aggiungete sei o sette pomodori San Marzano nella padella con l'olio e il grasso del guanciale fuso, pressateli con una cucchiarella di legno e fateli cuocere per qualche minuto. A questo punto, il gioco è fatto. Mettete a cuocere i bucatini nell'acqua bollente, e nell'attesa grattugiate del pecorino romano, quello dalla coccia nera, stagionato il giusto.

Rimettete il guanciale croccante nella padella, dove ad attenderlo c'è il sughetto, e scolate la pasta molto al dente. Saltate tutto e dividete nei piatti, facendo attenzione a non schizzarvi i vestiti (i bucatini sono traditori), spolverate con pecorino e una pioggia di pepe nero.

L'applauso sarà fragoroso, ma sicuramente non vi libererete più dell'onere (ma neanche dell'onore) di invitare ancora dieci, cento, mille volte a cena gli amici per far mangiare loro una grande Amatriciana.

Gnocchi di patate alla romana

Prima di darvi questa ricetta, vorrei raccontarvi un piccolo aneddoto su mio nonno Ildebrando.

Ildebrando, il papà di Armando, era un ferroviere capotreno della Vagon Leit, perciò viaggiava ogni giorno per tutta l'Europa. Quando faceva una sosta prolungata a Roma era preso da voglie improvvise tra cui la voglia di gnocchi. Tutto questo può sembrare normale (non c'è niente di strano nel fatto che a un romano venga la voglia di gnocchi) , ma il fatto è che a mio nonno non piacevano le patate e definiva gli gnocchi "patate vestite a festa".

Mia nonna Velia, essendo la moglie, lo conosceva bene, ma gli gnocchi glieli preparava lo stesso, perché già sapeva che quel giorno non sarebbe tornato a mangiare a casa, adducendo come scusa un invito di certi amici a cui non aveva potuto dire di no.

Uomini d'altri tempi, mogli d'altri tempi!

Ingredienti (per sei persone)

2 kg di patate di qualità farinosa
300/400 g di farina
sugo di carne di vitellone o di pomodoro
parmigiano
pecorino romano
sale q.b.

Per le solite sei persone, che sono molto fortunate, dato che è sempre per loro sei che si cucina secondo le mie ricette, ci vogliono due chili di patate, possibilmente di Avezzano, 400 grammi di farina, un bel sugo d'umido di carne, del parmigiano e del pecorino romano grattugiato abbondante.

Lessate le patate e sbucciatele (sembra che con la buccia gli gnocchi non vengano bene), schiacciatele con quell'affare fatto apposta per schiacciare le patate; poi, quando sono fredde, impastatele con la farina fino a ottenere una pasta abbastanza morbida ed elastica, quindi tagliatela in pezzi e da questi, sulla tavola infarinata, fatene dei cannelli non più grossi di un dito ma lunghi quanto vi pare e piace, perché tanto poi li taglierete in cilindretti di un paio di centimetri l'uno.

Avvertenza: state attenti a non tagliarvi le dita, perché gli gnocchi al sangue umano magari saranno anche buoni, ma mangiarli, se uno lo sa, potrebbe fare un po' impressione.

C'è chi su ognuno di questi pezzetti ci appoggia la punta del dito medio facendoci una fossetta e chi ci passa la punta di una forchetta. Il gusto, credetemi, non cambia.

A questo punto, disponeteli su una tovaglia infarinata allineati come soldatini tutti bianchi di farina, e mettete sul fuoco una pentola di acqua già salata e aspettate che giunga a ebollizione. Quando l'acqua è a temperatura versateci dentro un po' di gnocchi per volta e quando riemergono da quel mare bollente, tirateli su con un cucchiaio bucato, fateli sgocciolare, disponeteli in una zuppiera e conditeli strato per strato con il sugo d'umido, il parmigiano e il pecorino grattato.

Vedrete il successo!

A mio nonno non piacevano, ma a me fanno impazzire.

Altre ricette

Ci sono altre ricette che qui di seguito vado a riportare e che non sono necessariamente legate ai personaggi che hanno fatto la storia di *Armando al Pantheon*. Sono ricette altrettanto importanti, storiche, di una cucina, quella romana, che a torto è sempre stata relegata al ruolo di cucina minore, perché definita "greve" e pesante da digerire.

Ecco, a tutti i detrattori di questa meravigliosa cucina, vorrei ricordare una cosa: la prima provincia dell'Impero Romano è stata la Gallia ed è proprio la Francia che ha sentito di più l'influenza dell'antica cucina romana, quella di Apicio, per intenderci, quella che ha inventato il foie gras, l'entrecôte, il magret de canard aux prunes e altre incredibili leccornie dell'attuale cucina francese. Ecco, questo vorrei non fosse mai dimenticato.

Infine una precisazione: le dosi delle ricette descritte si riferiscono a un pasto per sei persone. Sono infatti convinto che il numero di sei persone sia quello giusto per una cena o un pranzo, un'occasione buona non solo per mangiare ma anche per conversare. Tre coppie si amalgamano bene tra di loro, parlando e scherzando, bevendo e mangiando con gusto. Insomma, si compenetrano tra di loro come le vivande messe a cuocere e le bevande scelte con accortezza e passione dal loro ospite.

Sedersi a un tavolo per mangiare deve essere un appagamento per gli occhi, la gola e l'anima, e ciò che ci viene proposto deve essere gustato e apprezzato con serenità e allegria, che è poi il fine ultimo e più importante di un sano convivio.

Coratella d'abbacchio con carciofi

Per chi non lo sapesse, la coratella è quell'insieme che comprende il polmone, il cuore, la milza e il fegato dell'abbacchio. Questi vanno tagliati separatamente in dadini e separati dal fegato, che essendo più tenero, lo andrete a mettere a cuocere, insieme al resto, soltanto verso la fine.

Ingredienti (per 6 persone)

2 coratelle d'abbacchio
4 carciofi
6 cucchiai di olio extravergine di oliva
sale e pepe q.b.

Prendete una bella padella capiente, metteteci l'olio e quando comincia a sfrigolare aggiungete tutta la coratella tranne il fegato. Saltatela di frequente affinché si colori per bene e si cuocia da tutte le parti.

Salate e pepate. Quando i polmoni con il loro fischio (la carne cuocendo si comprime ed espelle l'aria contenuta negli alveoli, che uscendo emette un sibilo) vi avvertono che è giunto il momento, aggiungete anche il fegato e portate il tutto a cottura.

Proprio alla fine aggiungete dell'acqua per fare in modo che, entrando a contatto con la coratella ormai cotta, interagisca con essa, tirandone fuori un delicato e saporito sughetto.

Aggiustate ancora di sale e pepe e voilà, questo piccolo capolavoro è pronto.

Come avrete notato, non ho inserito nel piatto né la cipolla né l'aglio e neanche il rosmarino e il prezzemolo. Io la vedo così, una ricetta con sapori non mistificati se non dal sale e dal pepe. E niente vino, anche quello messo al bando.

Una variante meravigliosa della ricetta è quella che prevede i carciofi, perciò durante il periodo invernale e quello primaverile sia i violetti che i romaneschi.

Il procedimento per la cottura della coratella è lo stesso. In una padella antiaderente mettete a cuocere i carciofi, puliti e tagliati a spicchi. Se volete potete inserire della cipolla bianca tagliata a lamelle sottili.

Quando i carciofi sono teneri e croccanti, salateli e uniteli alla coratella già cotta.

Sporzionate tutto ben caldo, aggiungete un filo di olio crudo e un crostino di pane a guarnire e... il paradiso è nel piatto.

Ah, un'ultima cosa: questa variante della coratella va consumata in tempi brevi, perché altrimenti, con l'introduzione dei carciofi, tende a ossidarsi velocemente e quindi a scurirsi.

Carciofi alla romana

I carciofi sono da sempre all'apice della cucina romana e romano-ebraica. Quasi certamente vengono dall'Etiopia. I romani li conoscono da sempre, tanto che Plinio il Vecchio li cita nella sua *Naturalis Historia*, dove sono messe in risalto le loro proprietà depurative, tonificanti e afrodisiache.

La leggenda narra che Zeus, innamorato e respinto dalla bellissima ninfa Cynara, per vendetta la trasformò in un vegetale che in qualche modo le somigliasse: avrebbe dovuto essere verde, spinoso e rigido all'esterno, com'era il carattere orgoglioso di Cynara, ma dentro doveva custodire un cuore tenero e dolce come l'animo della ragazza e aver un colore viola come i suoi occhi. Nacque così il carciofo.

Esistono varie specie di carciofi: si va dallo spinoso sardo al violetto di Toscana al verde di Palermo, ma io, in assoluto, preferisco il nostro romanesco, tipico della zona a nord di Roma (Cerveteri, Ladispoli), che si produce da metà febbraio a maggio inoltrato. Perché il romanesco? Ma perché è di dimensioni grandi, ed è tenero e buonissimo.

Il segreto della bontà del carciofo e della riuscita di ogni sua ricetta sta nella tecnica della sua pulizia. Io proverò a descrivere come si fa, ma solo la pratica e l'osservare dal vivo sono la strada per arrivare al successo.

Ingredienti (per 6 persone)

12 carciofi
150 cl di olio extravergine di oliva
1 spicchio d'aglio
mentuccia

Innanzitutto, per non annerirvi le mani indossate dei guanti in lattice monouso, e, così protetti, togliete le prime foglie al carciofo, quelle più esterne e verdi. Poi con un coltello leggermente curvo e molto affilato, partendo dal basso, cominciate a tagliare le foglie rimanenti, girando in tondo fino ad arrivare alla sommità del carciofo. Terminato il taglio, dovrà somigliare a una rosa. Rifilate con accortezza il gambo ed ecco i carciofi pronti per la cottura.

Dopo averli salati, disponeteli in un tegame uno accanto all'altro, ricopriteli per ¼ con olio extravergine di oliva e per ¾ con acqua, tuffateci uno spicchio d'aglio e un rametto di mentuccia, e infine coprite con un coperchio e lasciateli cuocere a fuoco vivace fino alla completa evaporazione dell'acqua. Saggiateli con una forchetta: se entra senza intoppi sono pronti.

Essendo molto delicati, per evitare che si spappolino nel momento che andate a toglierli dal tegame, aspettate che si intiepidiscano... e il gioco è fatto!

Cipolline in agrodolce alla romana

Quando girate per il mercato lasciatevi tentare da qualche vignaiolo che vi offre delle cipolline già pulite e profumate. Compratele subito e seguite i miei consigli. Vi accorgerete di quanto sono buone nella versione romana in agrodolce.

Ingredienti (per 6 persone)

80 g di cipolline fresche pulite.
4 cucchiai di olio extravergine di oliva
3 cucchiaini di miele d'acacia
40 cl d'aceto di vino bianco
200 cl di vino bianco
sale q.b

Prendete un tegame, fate soffriggere un po' d'olio e subito dopo mettete a cuocere le cipolline.

Aspettate che prendano un po' di colore, sapete quel bel marroncino così appetitoso che ti fa venire voglia di inzupparci un pezzetto di pane dentro? Quando sono di quel colore, aggiungete un cucchiaio di miele, una spruzzata di aceto di vino bianco, aggiustate di sale e coprite con mezzo litro d'acqua e mezzo bicchiere di vino.

Coprite con un coperchio e, facendo attenzione che non si bruci tutto, appena le sentite sfrigolare andate a vedere cosa succede. Se sono ancora dure aggiungete dell'acqua, se invece sono tenere... be', allora preparate il pane, magari croccante, perché state per gustare un piatto della nostra cucina molto generoso e semplicemente formidabile.

Spaghetti alla gricia

Scusate, ma prima di parlarvi della gricia, devo alzarmi in piedi e mettermi sull'attenti per renderle omaggio. Ragazzi, questa è una delle ricette più minimaliste, più geniali e gustose della cucina non solo romana ma mondiale. Esagero? Bene, venite a mangiarla all'*Armando al Pantheon* e poi mi direte.

Allora, come recita lo slogan del mio caro amico Giuseppe Palmieri, sommelier della "Francescana" di Massimo Bottura: "Basso profilo, alte prestazioni" è la definizione esatta della gricia. Semplicità e virtù!

Ma attenti, gli ingredienti devono essere il non plus ultra di quello che si trova al mercato, quindi olio extravergine eccellente, guanciale, (tante volte ho segnalato quello di Bassiano o Montefiascone o Norcia), pecorino romano doc (Lopez può essere un nome), pepe nero cambogiano (di Kampot), spaghettoni (io uso la pasta Martelli, ma anche altre paste come la del Campo, la Cavaliere e la Verrigni sono ottime).

Ingredienti (per 6 persone)

600 g di spaghetti n° 7
200 g di guanciale
80 g di pecorino romano
2 cucchiai di olio extravergine di oliva
½ bicchiere di vino bianco
sale e pepe q.b.

Fate soffriggere l'olio in una padella capiente e aggiungeteci il guanciale tagliato a listarelle o a dadini. Quando è croccante sfumatelo con un goccio di vino bianco e toglietelo dal fuoco.

A parte mettete a cuocere la pasta. È inutile che vi dica di toglierla al dente. Scolatela e versatela nella padella facendola amalgamare con una parte del pecorino romano.

State attentissimi perché non appena apparirà cremosa, ci vuole un nonnulla perché diventi troppo oleosa. Cosa fare in questo caso? Niente paura, aggiungete un goccio d'acqua di cottura e tutto torna a posto.

Sporzionate nei piatti e spolverate sopra il pecorino restante e un bel pizzico di pepe nero macinato.

I vostri invitati vi chiederanno più volte il bis!

La stracciatella

Altra grande ricetta, nella sua semplicità, della cucina romana, la stracciatella evoca in me ricordi lontani e profumi mai dimenticati. Era presente al pranzo della domenica con tutta la famiglia riunita.

Nonna la serviva appresso all'antipasto e prima delle fettuccine con le regaje. Era convinta che preparasse lo stomaco al pasto vero e proprio, anche se io onestamente, con la fame giovanile di allora, non avevo bisogno di alcuna preparazione. Com'era dolce mia nonna. Allora, proviamo a fare la stracciatella come la faceva lei.

Ingredienti (per 6 persone)

1 lt di brodo di carne (o dado)
3 uova
200 g di parmigiano grattugiato
succo di un limone
prezzemolo

Mettete sul fuoco un brodo preparato in precedenza con carne di manzo e una mezza gallina. A parte sbattete le uova intere in una terrina e aggiungete il parmigiano, il prezzemolo e un goccio di succo di limone per dargli la giusta acidità.

Quando il brodo bolle, senza toglierlo dal fuoco, aggiungete il tutto. A questo punto, dato che la crema tenderà immediatamente a coagulare, la girate velocemente con una frusta. L'uovo si sfilaccerà e formerà degli stracci. La stracciatella appunto. Versatela nelle scodelle, cospargendola con il formaggio rimasto.

Vedrete che piacevole sorpresa!

Pere cotte al vino con le prugne

Nelle giornate invernali, ma non solo, le pere cotte al vino con le prugne sono un ottimo dessert e un rimedio naturale per un intestino sano e regolare.

Consiglio di usare le pere Kaiser per un semplice motivo: è una qualità soda che mantiene la cottura, quasi come una buona pasta che rimane al dente.

Al solito mercato comprate sei pere, una bottiglia di buon vino rosso locale, 500 grammi di prugne secche della California e un chilo di zucchero, e via a cucinare.

Ingredienti (per 6 persone)

6 pere Kaiser
10 cucchiai di zucchero bianco
70 cl di vino rosso
1 lt d'acqua

Lavate le pere, poi con uno svuotino togliete la parte centrale e i semi, lasciando integro tutto il resto. Disponetele insieme alle prugne in una teglia che le contenga comodamente. Aggiungete zucchero, vino e acqua.

Infornate a 180°C e quando con uno stecchino di legno potete infilzarle senza resistenza sono pronte.

Servitele calde o fredde, accompagnate da un gelato alla vaniglia e affogate nel loro liquido di cottura. Saranno una piacevolissima sorpresa.

Forse a questo punto qualcuno si sarà aspettato, come dolce, la ricetta della mia *Torta Antica Roma*. Ma non sarà così.

La *Torta Antica Roma* nasce una trentina di anni fa da una mia idea e da una ricerca continua che si è protratta per alcuni anni fino ad arrivare alla ricetta attuale.

La volevo interamente costituita da ingredienti che si potevano trovare in quell'epoca, ma poi mi resi conto che, usando esclusivamente quelli, non riuscivo, forse per mia imperizia, a soddisfare appieno quello che mi proponevo di ottenere in termini di fragranza e sapore. Una sola libertà storica: lo zucchero, sconosciuto nella Roma di duemila anni fa, al posto del miele.

Nacque così il mio piccolo capolavoro, e permettetemi di lasciare il suo segreto custodito all'interno della nostra famiglia.

E allora che facciamo? Semplicemente vi darò un'altra ricetta meravigliosa della nostra amata cucina romana.

Crostata di visciole

Le visciole altro non sono che le parenti povere di amarene e duroni. La loro spiccata acidità e asprezza e il loro sapore dotato di grande personalità le rendono eccellenti nella preparazione dei dolci, e la crostata di visciole, da noi a Roma, è apprezzata fin dall'antichità.

Ecco dunque come prepararla.

Ingredienti

400 g di marmellata di visciole
300 g di farina
140 g di burro
140 g di zucchero
2 uova
½ bustina di lievito

Imburrate una teglia da 30 centimetri e mettetela da parte.

Formate una pasta frolla con lo zucchero, il burro, la farina, le uova e un pizzico di sale. Da questo panetto togliete una piccola parte perché vi servirà successivamente.

Rivestite la teglia imburrata con la frolla e cospargetela con la marmellata di visciole fino a ricoprirla per bene. A questo punto, create delle listarelle e formate il reticolo della crostata.

Infornate a 180°C fino a cottura ultimata. Io la consiglio quasi mal cotta. Va servita fredda.

E termino qui questo mio buffo libro. Di cose da dire e di ricette da dare ne avrei ancora molte, ma poi voi magari mi dareste del logorroico, di quello che, come dicono i giovani, s'accolla,e io questo lo vorrei evitare.

Se questo libro, come spero che sia, avrà un discreto successo, allora prenderò in considerazione l'idea di dargli un seguito, altrimenti va bene così, io mi sono divertito e voi avrete capito un po' di più che cos'è la cucina romana e quello che noi di *Armando al Pantheon* abbiamo fatto per renderla sempre più attuale e apprezzata. Con entusiasmo, gioia e amore.

A presto monno!

Claudio Gargioli, onorato di essere lo chef di *Armando al Pantheon,* con il padre Armando.

RINGRAZIAMENTI

Alla mia editor Rosanna e alla sua agenzia Il Menabò, al mio editore Mauro, senza di loro mi sarei perduto, a Luigi Serafini per il suo bellissimo logo, ad Alberto Rinaudo per le sue sagaci illustrazioni, a Tommaso Ausili per le foto, a mio fratello Fabrizio, a mia figlia Fabiana e mio genero Mario nonché a tutto lo staff di *Armando al Pantheon* e a tutti quei clienti che, consapevoli o meno, hanno contribuito alla stesura di queste pagine, vanno i miei più sinceri ringraziamenti.

Recipes by Claudio Gargioli, chef at the *Armando al Pantheon*, Rome

Take a decorated "tre gamberi" chef listed in the 2014 Gambero Rosso guide, an enterprising father who started the business and a brother willing to do a little bit of everything. Mix them with a daughter eager to learn the culinary art, a fantastic restaurant listed as one of the top ten trattorias in Rome by British daily The Guardian, situated metres from one of the capital's most beautiful squares, the Pantheon, and a menu that varies from typical Roman fare, the so-called quintoquarto offal dishes (tripe, coda alla vaccinara, etc.) to genuine surprises like duck in plum sauce, guinea-fowl with cep mushrooms and black ale, which are all testament to a culinary tradition that dates back over three thousand years to Marcus Gavius Apicius.[1] Season with tales that tell of food, family sagas, famous people and much more besides. Cook over an open flame for a delicious and extremely authentic experience, a truly delicate tale that is both joyful and touching, punctuated with humour and which hits the palate and goes straight to the heart. Where it'll stay with you for ever.

I'm writing this in the kitchen. It was here that it all started more than half a century ago, in the warmth of this kitchen. And now, surrounded by Armando's omnipresent spirit, the sound of the extractor fan and saucepans sizzling on the stove, I'm casting my mind back through the history of *Armando al Pantheon*, a story of smells, colours and flavours.

It all started in 1961. My father, Armando, got the *Armando al Pantheon* story off to a good start in Salita de' Crescenzi, refurbishing the original premises to turn the place into a working trattoria with a kitchen where customers, mostly workmen, office staff and students, could get a plate of amatriciana, pasta with chick peas or cic

[1] Marcus Gavius Apicius (25BC-37AD) was a gourmet in Ancient Rome. The collection of Roman cookery recipes forming the main substance of the De re coquinaria text (On the subject of cooking) is attributed to him.

ken with peppers and wash it down with a half a litre of local wine, while sharing a joke, a laugh or a singsong without having to spend an arm and a leg.

Those were blithe, happy years despite the long hours, never having a day off and having to rise to one challenge after another.

Armando initially ran the trattoria with his brother, Renato, and brother-in-law, Tonino, but both moved to other jobs fairly early on. My mother worked in the Vatican City but used to come into the restaurant in the evenings to help my dad. She died very young, aged only 43 in 1968, leaving a huge hole in our lives. He also had a sister, Marcella, who washed the dishes in the kitchen by hand (dishwashers were a taboo for us until the early 1980s).

I came onto the scene in 1973. I was studying political science at university at the time when my dad asked me to cover "temporarily" for a waiter who hadn't turned up for work.

What a revelation! Like Saul on the road to Damascus, I had entered a world only previously frequented as Armando's son, and I was immediately hooked!

I fell in love with the place, the people, the way of life, and the money that started to fill my pockets, waiting to be spent however I liked. I met lots of people. Some nice, some not so nice. Artists, writers, actors, politicians. I felt part of a world that was waiting to be explored and enjoyed.

Not long after, my 13-year-old younger brother, Fabrizio, joined us. He would come in after school to help out front, clearing plates and carrying the glasses and cutlery.

Armando stayed in the kitchen. He was a master chef. Self-taught, no frills. He cooked authentic Roman dishes. Specialities that came from the past, handed down by his mother and even from before his grandmother's time. Dishes made of ingredients that were of excellent quality and simple to prepare.

He put life and his love of it into his cooking. It was the fruit of everything he knew about food and his memories of an intense and very unique family life. He spent his childhood in the alleyways of central Rome, from Via Giulia to Campo de' Fiori, and among the stalls of the prettiest market in the world, a place steeped in smells, noise, the chanting voices of the market traders and the chatter of the market-goers. Recipes were passed on orally, by the Jews, Christians, Romans, Cispadanes, and Lazio locals whose home then was a pretty, provincial Rome that, I'm sorry to say, has gone forever now.

I started out front as a waiter back then, in the early 1980s, when I was already married with two of my three children (the youngest was born in 1987), but I was irresistibly drawn to the kitchen. Armando made me his assistant. I used to watch him cook, learning his intricate tricks, absorbing his philosophy, stealing everything I could with my eyes.

Meanwhile I was also reading and studying. *Armando al Pantheon* was changing, and it was a slow but continuous transformation. Gone was the paper from the tables and sawdust from the floor. In came nicer glasses and dishes, along with cork on the walls and shelves filled with wine bottles. In the latter part of the 1970s, our clients were still the same, a mixture of the decadent proletariat and a few intellectuals.

My dad had talent. He could turn the ordinary into art. All the while, I was reading cookery books and he was teaching me authentic Roman cooking, the one my grandmother and her grandmother before her used. Those were the years when I was trying to find my own way. I was curious, I experimented passionately with anything that came my way or that I could get my hands on. I was drawn, almost obsessively, to Rome's Apicius way of cooking. I was constantly rooting around for ancient flavours, spices and herbs no longer used. Garum, mulsum, silphium, lovage, rue and kummel weren't just obscure names for me, they were the things that inspired me.

Those were the years – the late 1980s – when we introduced dishes like guinea-fowl with cep mushrooms and black ale, and duck in plum sauce, which years later don't seem to have aged, being just as successful now on our menu as they were then.

I wasn't guided by Apicius alone. By that time I had also discovered Bartolomeo Scappi and his approach to cooking. Nevertheless, it was Roman cuisine, the one my father practiced, that appealed the most to my young imagination. *Coda alla vaccinara*, tripe, *pajata*... and the entire *quinto quarto* tradition became my phoenix.

I played around with it, stumbling into the absurd at times. Then, like the proverbial phoenix rising from the ashes and finally convinced about what it was I wanted to do, I embraced an essential Roman cuisine, digestible with the fat removed and imitating the great Bartolomeo Scappi, the first to champion healthy eating and extremely adventurous in his flavours.

This is how the *coratella* (lamb heart, lungs and liver) wrapped in guanciale (cured pig's jowl); *carciofo alla giudia scomposto* (Jewish-style artichokes); *animelle* (sweetbreads) with peas, extra-aged Marco de Bartoli marsala and quails' eggs; grouper on a bed of potatoes, chicory, Pecorino Romano and rosemary; and pearled spelt soup with sausages, guanciale and Pecorino all came about. I added the spelt dish to the menu in the late 1980s when people no longer remembered it had ever existed.

Armando retired in the 1990s at age seventy with the first signs of Parkinson's, a disease which accompanied him to his death ten years later.

That left me with my brother. I cooked and he ran the dining room and kept the books. We missed Armando but still relied on his invaluable advice. When I was making something new, I'd very often ask for his help and advice.

By then it was the year 2000. Fabrizio and I had brought in my daughter Fabiana, a pupil of her grandfather Armando and in whose memory she had decided to embark on a career in restaurant management. She intended to carry on the tradition of the *Armando al Pantheon* and Gargioli family.

Our business was continuing to grow. Gambero Rosso and Slow Food had both become aware of our existence, and this encouraged us to try to be even better.

Fabiana was a breath of fresh air for the restaurant: both she and my brother Fabrizio graduated as professional sommeliers from the Italian Wine Sommelier Association.

Armando al Pantheon was also gradually garnering international acclaim, through word-of-mouth, good food guides and television features. A number of newspapers, including The Guardian and the New York Times, ran articles about us; we became a firm favourite in Japan, and in France people started to love and respect us, in particular after the visit of Le Figaro food critic, François Simon.

"Due Gamberi" status followed. My cooking had evolved. Ancient Roman dishes, both highly respected and original, were what people were looking for. I reintroduced bollito alla *picchiapò* (boiled meats with onion and tomato sauce); lasagna alla Belli, which I extrapolated from a poem by a great Roman poet; anchovies with curly endive (from a Roman-Jewish recipe); tagliolini pasta and cod in a sweet and sour tomato sauce; kidneys on a bed of puréed broccoli with crunchy *guanciale*; bujone-style baby lamb (based on a recipe from the Alta Tuscia area in northern Lazio); fettuccine with chicken regaje (giblets); roast baby lamb with potatoes... and many other dishes.

My *Torta Antica Roma*, now a thirty-year-long tradition, had been copied around the world, but our customers were also becoming increasingly fond of Fabiana's cakes and my brother Fabrizio's cooking. I often think of him as my alter ego, in the true sense of the word.

This brings us to the present day. In August 2013, *Armando al Pantheon* underwent a makeover to bring our look into line with the restaurant's new vocation. We refurbished the dining room, exposing and restoring the original wooden beams, the 1960s floor, and the lights, chairs and tables.

We earned a third "gambero" for our loyalty to tradition. It was the first in the city's history. A Slow Food snail and a Touring Club "Ruota d'Oro" listing followed soon after. We received mentions, all glowing, in Italian daily newspapers L'Espresso, La Repubblica and Il Sole 24 Ore. Il Messaggero and Il Corriere della Sera even dedicated entire articles to us.

To sum up, we've come a long way since dad started out on this adventure. And how far do we still want to go? There's no doubt we have the same enthusiasm and passion as ever, that hasn't changed.

Clearly, time is marching on though, but we feel young inside because of the vitality of our food. As a chef who loves his job, I was born with a heart filled with pride in the heart of this magical city.

Spaghetti cacio e pepe
(Cheese and pepper pasta)

Cacio e pepe is another mainstay in Roman cooking. The fact that it's so apparently simple is what makes it so difficult to get it just right. The secret lies in the ingredients (very starchy pasta, perfectly aged Pecorino Romano cheese, freshly-ground black pepper) and in the experience of the chef.

Big banquets in Rome, those never-ending celebration lunches, used to end with a plate of cacio e pepe. Yes, you're not mistaken, after getting through appetizers, pasta and meat courses, the cheese board, dessert and fresh fruit, all washed down with a coffee, before our Roman ancestors left the table, they would eat a steaming plate of cacio e pepe spaghetti. You may be wondering why. Well, it's because it's a crowd-pleasing, quick and thoroughly irresistible dish that can find an appetizing place for itself even in stomachs filled with every delight known to man.

So how do you make it?

Original recipe makes 6 servings

Ingredients (serves 6)

600g (1¼ pounds) spaghetti
150g (5¼ oz) grated Pecorino cheese
1 heaped tablespoon coarsely-ground black pepper

Cook the pasta. Pour a little of the pasta water into a large bowl then stir in the pepper and part of the cheese. Remove the pasta while it's still al dente and empty it into the velvety Pecorino and pepper emulsion, stirring until it's well coated.

The sauce should still be "runny" but not wet. This is the trickiest bit. It takes passion and perseverance to turn this dish into a masterpiece.

Serve dusted with pepper and the rest of the cheese.

If you get it down to perfection, your guests will be bringing down the house, but watch out, if you don't, they'll be chasing you round it!...

Bucatini all'amatriciana
(Pasta with pork and tomatoes)

Amatriciana is another of those dishes that are part of *Armando al Pantheon*'s history. People often ask me if it's called "matriciana" or "amatriciana", and where the name comes from. We've always called it amatriciana.

The dish is named after a town in Lazio called Amatrice. But is that really important? The wholesomeness of the ingredients and its overall simplicity are what really make it one of the city's tastiest dishes.

The most unadulterated version is very similar to gricia, made with Pecorino, guanciale (cured pig's jowl) and the barest amount of tomato, although nowadays we tend to use more generous amounts of tomato.

Ingredients (serves 6)

600 g (1¼ pounds) bucatini pasta
12g (4½ oz) guanciale (cured pig's jowl)
6-7 San Marzano tomatoes
100g (3½ oz) grated Pecorino Romano cheese
½ glass dry white wine
1 tablespoon extra virgin olive oil
Salt to taste

So, you're in the kitchen and you've told all your friends in the other room that your amatriciana is the best in Rome and you can't wait to show them.

Start by filling up a large pot with hot water, salt it and put it on to boil. While you're waiting to throw in the bucatini, make the sauce that will wow your guests.

Pour some extra virgin olive oil into a frying pan, as that's where you're going to cook the superior quality guanciale, preferably one from Amatrice, Montefiascone, Bassiano or Norcia, and not factory-produced, it must have been aged and seasoned correctly. Chop it into thick strips and fry until crisp in the oil. Now it's time to simmer with white wine, a Castelli Romani works great. Reduce then take the guanciale out of the pan right away and set aside.

Add six or seven San Marzano tomatoes to the pan along with the oil and fat released by the pig's jowl. Flatten them with a wooden spoon and simmer for a few minutes. That's the sauce taken care of. Tip the pasta into the boiling water, and while you're waiting, grate the Pecorino Romano, the one with the black rind and nicely matured.

Transfer the crispy guanciale back into the pan where the sauce is waiting, then tip in the pasta, cooked al dente. Toss together and split into portions, being careful not to splash your outfit (bucatini are terrible for this). Sprinkle with Pecorino and a grating of black pepper.

The applause will be deafening and no doubt you'll be stuck with the burden (or honour) or inviting your friends for dinner another ten, hundred, million times so they can savour your super Amatriciana, time and time again.

Gnocchi di patate alla romana
(Potato gnocchi Roman style)

Before I give you this recipe, I want to tell you a funny story about my grandfather Ildebrando.

Armando's dad, Ildebrando, was a train conductor for Vagon Leit which meant he travelled round Europe every day. Whenever he had a long stopover in Rome, he'd get a sudden longing for gnocchi. This may seem normal (there's nothing unusual about a Roman wanting a plate of gnocchi), but the fact is that my grandfather didn't like potatoes and referred to gnocchi as "potatoes dressed up for a party".

My grandmother Velia, his wife, knowing him well, would make the gnocchi anyway, even though she knew he wouldn't be home for lunch that day, trotting out the excuse that some friends had invited him out and he couldn't say no.

The men of yore... and the wives of yore!

Ingredients (serves 6)

2 kg (4½ pounds) floury potatoes
300-400g (10½-14oz) flour
Tomato or meat (beef) sauce
Parmigiano
Pecorino romano
Salt to taste

For the same six people, six very lucky ones because we're always cooking for them in my recipes, you'll need two kilos (4½ pounds) of potatoes, from Avezzano (Abruzzo) if possible, 400g (14 oz) flour, a *sugo d'umido* (sauce formed during the cooking of a pot roast), and copious amounts of Parmesan and Pecorino romano.

Boil the potatoes then drain and peel (gnocchi don't tend to turn out well with the skins on), mash with that potato-masher thingy; once they're cool, mix them with the flour and work together into a soft, springy dough. Cut into chunks and roll them out on a floured surface into sausages that should be as thick as your finger and as long as you want because you're then going to cut the sausage down into smaller, 2 cm (¾ inch) dumplings.

Be careful you don't cut your fingers, because while the rare look may be desirable for a T-bone, gnocchi dripping blood are probably not going to have the same appeal. Or not the one you hoped for anyway.

Some people press their middle finger into the dumplings and others score with a fork. Trust me, they'll still taste the same.

Line them up, now, like little soldiers, all white and floury, on a floured cloth, and put on a pot of salted water to boil. When the water's ready, empty in a few gnocchi at a time and wait for them to float to the top of the boiling sea. Use a slotted spoon to lift them out, drain and place in a serving bowl in layers, alternating with the sauce, and the grated Parmesan and Pecorino.

A surefire success!

Spaghetti aglio, olio e peperoncino (Garlic, oil and hot red pepper pasta)

Aglio e olio, just like its cacio e pepe counterpart, used to be called "*la pasta dei cornuti*" (a dish for the cuckolded) because if a young wife was busy doing something else while her husband was at work and had little time to make the evening meal, she would make either of these two fast, tasty dishes. They provided a speedy solution, pleasing her husbands who came home to dinner on the table, and leaving her to lovingly stroke his brow.

Ingredients (serves 6)

600g (1¼ pounds) spaghetti (Martelli if possible)
2 Nubia red garlic cloves
3 chilli peppers
Extra virgin olive oil
Chopped parsley
Salt to taste

This is a simple but tricky recipe as you have to be ready and on the ball as regards the cooking times.

Put the pasta on to cook in well-salted, boiling
cooking, roughly chop a garlic clove and three chill
in a small pan with extra virgin olive oil.

When the garlic cloves starts to change colou
the flame right away. The pasta should also be ready around
time. Drain while it's still al dente, transfer it to a serving bowl and empty the contents of the frying pan over the top. Toss together then separate into individual bowls. Season with salt and sprinkle with parsley.

Useful tip: some people add a sprinkling of Pecorino and others some grated breadcrumbs. I like both.

Spaghetti alla carbonara
(Pasta with egg and bacon)

I think I should state up front that carbonara is only a recent addition to classic Roman cuisine. Some say it was invented by US soldiers in Italy after the war, when they used their bacon and powdered eggs to make a sauce for the Italian pasta they loved so much. Personally, it doesn't really bother me where it came from because it's such a tasty recipe and deserves its place on this list of Roman specialities.

Here's the recipe.

Ingredients (serves 6)

700g (1½ pounds) spaghetti
150g (5¼ oz) guanciale (cured pig's jowl)
4 eggs (yolks and whites)
150g (5¼ oz) Pecorino Romano and Parmesan
2 tbsp oil
A drop of white wine
Salt and pepper to taste

So, you have to cover several bases here. Start by taking a large bowl and beat the eggs and some of the cheese in it, season with salt and pepper.

Then, in a large frying pan, fry the pig's jowl in the oil and reduce with a drop of white wine to keep it tender.

Cook the pasta in large pot of water. When it's still nice and al dente, toss it into the bowl and mix well with the eggs and cheese.

Serve in smaller bowls and garnish with a teaspoon of warm, crispy guanciale and a sprinkling of cheese and pepper.

The tricky bit is getting the eggs cooked just right and a creamy consistency with the pasta... but practice makes perfect.

Spaghetti alla gricia (Pasta with pork and pecorino cheese)

Sorry, before I talk about gricia, I'd like to stand to attention and salute this great dish. Readers, this is one of the simplest, most ingenious, tasty recipes not just in Roman cuisine, but in the whole world. Overkill? Why not try it for yourself at Armando al Pantheon then tell me what you think.

This dish can be summed up perfectly in the catchphrase of my friend Giuseppe Palmieri, a sommelier at Massimo Buttura's "Osteria della Francescana": «Keep it small, make a big impression». Simple and wholesome works every time!

But watch out, the ingredients must be the absolute best on the market, which means superior extra virgin olive oil, guanciale (I've mentioned the pig's jowl from Bassiano, Montefiascone and Norcia already), authentic Pecorino Romano (Lopez might be a good one to try, as long as it's an indigenous DOC one, the official mark guaranteeing its origin), Cambodian black pepper (from Kampot), and chunky spaghetti (I used Martelli but you can also use Del Campo, la Cavaliere and Verrigni).

Ingredients (serves 6)

600g (1¼ pounds) no. 7 spaghetti
200g (½ pound) guanciale (cured pig's jowl)
80g (2¾ oz) Pecorino Romano
2 tbsp extra virgin olive oil
½ glass white wine
Salt and pepper to taste

Heat the oil in a large saucepan and add the guanciale, chopped into thin strips or diced. When it's crispy, reduce with a drop of white wine then take the pan off the flame.

Cook the pasta. I guess there's no need to remind you to take it out when it's al dente. Drain and transfer into the frying pan, mixing with a little of the Pecorino Romano.

Be careful because as soon as the starts to look creamy, it can very quickly get too oily. What should you do if this happens? Don't worry, just add a drop of the pasta water and it'll go back to being creamy.

Dish out the pasta into individual plates and dust with the remaining Pecorino and a healthy grating of black pepper.

Melanzane alla parmigiana
(Aubergine parmesan in tomato sauce)

Ingredients (serves 6)

1 kg (2¼ pounds) aubergines
1 kg (2¼ pounds) red tomatoes
400g (14 oz) fresh mozzarella cheese (cow's milk)
150g (5¼ oz) grated Parmesan
250g (8¾ oz) "00" Italian superfine flour

40g (1½ oz) butter
½ onion
Oil for frying
Basil
Salt to taste

It takes patience to make melanzane alla parmigiana. I know, in this crazy world of ours, rushing here, rushing there, finding the time to spend on aubergines isn't easy. But, if you really want to make a good impression on your guests, you'll need to find it somewhere.

Start by washing the aubergines and removing the stalks then slice them into 1 cm rounds. Lay them in a colander, sprinkle with generous amounts of salt and place a weight over the top (a pot full of water would work). Leave them sitting for a good hour to let the bitter juices run off.

While you're waiting, make a simple tomato sauce with onion and garlic.

Once the aubergines are done, wash them under running water and pat dry. The next thing to do is dust with flour and fry the rounds in a frying pan with plenty oil.

When they're nice and golden, transfer to a piece of kitchen paper and sprinkle with salt. Since I know the temptation will be too great, why not try a couple too (one's never enough). You're almost there, all that's left now is to grease a baking pan and lay the aubergines side-by-side across the bottom.

Pour the tomato sauce you made earlier over the aubergines and sprinkle with the diced mozzarella cheese, a few shavings of butter and a couple of basil leaves. Repeat from scratch with another layer of aubergine rounds and finish with the grated Parmesan and a few more butter shavings.

Cook in the oven at 350°F (180°C) until lightly browned and crusty on top. Serve hot.

La coda alla Vaccinara
(Oxtail stew)

Tail, like *pajata* (intestines), tripe, *coratella* (heart, lungs, liver etc.) and all the other entrails, is an important part of Rome's *quinto quarto* tradition of cooking offal.

What does quinto quarto actually mean? In the 1700s, butchers, or the slaughter-house workers, were paid in kind with the less noble parts of the animal, the so-called *quinto quarto* (the fifth quarter), which is the tail, intestines, muzzle, entrails, and so on.

In other words, they were given the "fifth" part of the animal in exchange for their services. To make a living, the honest butchers would then sell the quinto quarto to the people, who obviously couldn't afford the luxury of a fillet steak or a prime cut.

And as we all know, necessity is the mother of invention, and this explains how the hard-up masses managed to come up with such a variety of delicious, inexpensive dishes. So, the merit for Rome's quinto quarto style of cuisine is entirely theirs, they left us this tradition of rustic fare, bursting with flavour, energy and imagination, of which the tail, quite rightly so, is king.

Ingredients (serves 6)

3 tails from a bullock or bull
2 kg (4½ pounds) peeled, diced tomatoes
70g (2½ oz) prosciutto rind
2 onions
2 garlic cloves
12 cloves
1 glass white wine
1 stick of celery
50g (1¾ oz) raisins
30g (1 oz) pine nuts
10g (¼ oz) plain cocoa powder
Extra virgin olive oil
Salt and pepper to taste

Cut the tail into chunks about 5-8 cm (2-3 inches) long. It's not easy so you might want to ask your local butcher as he'll know just how to do it. He'll also have those big knives we normally wouldn't keep at home because they're too dangerous, especially for you (just think what would happen if your wife got hold of one during an argument).

So, chop the tail, rinse and dry the chunks then set them aside while you gently fry the prosciutto lard and rind in a large pot with the olive oil. Simmer for a couple of minutes to let the flavour intensify then toss in the tail chunks.

Leave to *scrocchiarellare* (a lovely onomatopoeic word meaning "get crisp") for a bit then season with salt and pepper. Finely chop the onion, crush two garlic cloves and add them to the pan along with ten or so cloves, some black-as-night pepper and a healthy glass of white wine. Cover and simmer for another ten minutes.

Now it's time to pour the can of chopped tomatoes into the pan and cover the whole lot with water. Cook over a lively flame, and sit tight for a couple of hours, maybe even three. You can have a peek at the sauce every now and then to check it hasn't reduced too much, and add more water if it has.

What about the celery? That famous stick of celery that people say is the key to a good *coda alla vaccinara*. Does it go in the pan? Keep your hair on and I'll tell you.

Take a nice stick of celery, not the white one you'd eat cazzimperio style (with oil, salt and pepper) but the green one, the one that looks awful but has that pungent aroma that gives the dish it's tangy edge.

So, take your celery, remove the leafy stalks (they can be poisonous if you eat too many) and chop it into finger-size chunks. Obviously if you've got hands as big as a ham, you'll need a different kind of measurement. Aim for chunks that are 7-8 cm (2½-3 inches) long.

Boil the chunks in a separate pot with salted water then, as soon as they're cooked, liquidize in a blender and return to the pot. Add the pine nuts, raisins, plain cocoa powder and a little of the sauce from the pan where the tail is still cooking away.

Place the pot with the celery and other ingredients over a medium heat and leave to cook for a few minutes.

When the tail's done, pour over the celery sauce and other ingredients and mix together. Leave to stand for at least half an hour, then skim off the excess fat from the surface.

Serve hot. You'll find this dish is as tender as a baby's smile and as passionate as a beautiful woman.

Ladies and gentlemen, may I present his highness... the tail!

Trippa alla romana
(Roman tripe)

Let me tell you about something funny that happened to me early on in my career as a chef. In those days, my father had only recently stepped aside to leave me the burden and the honour of becoming the incarnation of *Armando al Pantheon* in the kitchen. He used to come to lunch with his sister Luciana on Saturdays. They had their own table and very large appetites. During one of these lunches, my aunt, who had ordered the tripe, found a piece of carrot on her plate. What a palaver indeed!

«A carrot in the tripe!?! Have you gone mad?!? What were you thinking?!? You should be shot!!!» are some of the nicer things they said to me. I smiled, but I've been very careful since then to make sure that no carrots ever get into my Roman Tripe. The sprightly old guy is nearly ninety now, and every time he sees me, before he even says hello, he catches my eye, throws me a cheeky, cheerful smile and says, «You're not still putting carrots in the tripe, are you??»

So here are the ingredients and recipe for an excellent tripe... and watch out for the carrots!

Ingredients (serves 6)

1 kg (2¼ pounds) tripe
50g (1¾ oz) prosciutto rind
200g (½ oz) grated Pecorino cheese

500g (1 pound) red tomatoes (the ones recommended for sauce)
Olive Oil
Roman mint
Black pepper

When you go to your butcher, be very careful he doesn't palm you off with the kind of tripe that may a joy to behold for its super-whiteness but rubbery and tasteless because of the chemicals used to make it look so pretty.

Explain very clearly to the person serving that you want dark tripe, preferably not *centopelli*, or the leaf kind as it's known, which you wouldn't use for cat food, but reticulum, the rough, tough one with a large honeycomb structure. Have them cut it into strips about 1 cm (½ inch) wide, and although butchers don't usually like doing this because it takes so long, for some unknown professional ethic, they should do it for you.

Take your nice kilo (2¼ pounds) of dark tripe home and cook it a pot full of cold water with a pinch of salt, a carrot and half an onion. You'll need to cook it for at least an hour but in the meantime, you can sauté a garlic clove in the *prosciutto* rind and start making a tasty tomato sauce.

When the sauce is ready, drain the tripe and rinse it under running water.

Dry and place it in a pan where some white onion should be sizzling in a little olive oil. Splash with the wine, sprinkle over some Roman mint then pour on the tomato sauce you made earlier. Leave to simmer for about twenty minutes, stirring regularly to make sure it doesn't stick to the bottom of the pot.

Season with salt and serve hot with a sprinkling of real Pecorino Romano, the one with the black rind. Just a grating of real black pepper and your dish is good to go.Serve piping hot.

Ossibuchi cremolati con piselli e funghi
(Velvety veal shank with peas and mushrooms)

Veal shanks come from the animal's thighs. They can be from the front (the best ones as the bone's bigger and has more marrow) or the hind legs.

I remember going into the kitchen when I was young to watch how Costantino used to make a herby ossobuco with peas and mushrooms. He was the first and only chef to work at Armando al Pantheon before, by popular demand, my dad decided to take his place running the kitchen.

Costantino was a solid, traditional chef, nothing out of the ordinary, but a decent master of his trade. He failed to win my dad over for one simple reason: in his art, he lacked one essential ingredient. Passion.

I was just ten years old back then, and after school I'd often go into the kitchen and stand beside him, watching while he worked. I was curious and used to ask him thousands of questions. As a reward, he'd make me a jam omelette for my afternoon snack, passing it off as a fancy French dish. It was only years later that I discovered it was actually an ancient recipe for a classic Lazio speciality.

Let's try and recreate the dish together.

Ingredients

6 cross-cut veal shanks (hind)
500g (1 pound) shelled peas
150g (5¼ oz) "00" Italian superfine flour
80g (2 ¾ oz) champignon mushrooms
¼ glass white wine
Oil
Garlic
Onion
Celery
Carrot
Parsley
Salt to taste

This recipe is for Roman-style veal shanks so there won't be any rice with them, but they are served with peas and mushrooms.

Ask your local butcher for six slices of hind veal shank. Then you need to pick up a kilo (2¼ pounds) of champignon mushrooms and the same again of fresh peas plus a nice white onion, a stick of celery and a carrot.

Cook the peas in a pot with some sautéed onion, season with salt. Prepare the mushrooms in another pot with a clove of garlic and chopped parsley.

You have to watch the nerves around the edges as they tend to shrink when heated. This makes the meat pucker up and it won't cook through properly.

So, what should you do? Make little cuts with a pair of scissors around the edges of the ossobuco, dust lightly with flour and cook them one beside the other, in hot oil, in a high-sided pot.

Brown them first, flipping a couple of times before adding the chopped onion, carrot and celery. Leave to brown for a further five minutes then add wine and hot water to cover the meat. The water will slowly evaporate leaving a thick, tasty *cremolatura*.

Don't add the peas and mushrooms until the veal is tender to touch with a fork.

No point reminding you to serve it hot.

Armando's polpette
(Meatballs)

This is a classic Roman dish combining flavour and the fervid imagination of the locals who have always endeavoured to make gastronomic masterpieces from the simplest of ingredients.

Ingredients (serves 6)

1 kg (2¼ pounds) of boiled meat
3 eggs, yolks and whites
150g (5¼ oz) grated Parmesan

3 eggs, yolk and white
500g (1 pound) breadcrumbs
Extra virgin olive oil
Oil for frying
Parsley
Garlic, salt and pepper to taste

Armando's polpette are a recycled dish using boiled meat, in other words, they use the meat boiled to make a broth but not sliced afterwards for picchiapò and minced instead.

As well as the minced meat, you'll also need eggs, grated Parmesan, some stale bread and a scattering of chopped parsley. Before using the parsley, soften it in some broth first then drain thoroughly.

Combine the ingredients with your bare hands until the mixture feels relatively soft and springy. Shape into balls the size of an apricot and squeeze a little; in other words, create little meatballs.

Roll twice in breadcrumbs and fry until golden brown.

My advice is to shut yourself in the kitchen for this last step, as the cooked meatballs will be so tempting they might end up disappearing in front of your eyes, snatched by a hungry passer-by no sooner than they're out of the pan.

Once they're done and lying on some kitchen paper, you'll be faced with a tough decision: do you leave them like that, fried, or transfer them to a tasty, fresh tomato sauce? Your call.

In the first case, garnish with some crisps, a salad or sautéed chicory. In the latter, make a tomato and basil sauce, add the fried meatballs and leave for a few minutes to soak up the sauce, garnish with fresh peas and serve nice and hot. Make sure you've always got a reserve supply as they'll be in great demand.

Anatra alle prugne
(Duck in plum sauce)

Let's get one thing straight right away, this isn't my recipe but the modern transposition of an old one by Apicius, the greatest cook of his century, not to mention the first ever to write down his recipes and set in motion a school to experiment and teach about food, which was progressive to say the least. This was two thousand years ago, during the rule of Tiberius, the Roman emperor who enjoyed the benefits of Apicius' culinary prowess.

At one stage in his life, Apicius was forced to flee Tiberius and his court. Some say it was because he didn't love cauliflower as much as the emperor. Clearly, there had to be something more complex and ideological behind it than that. The official version has him taking refuge in Minturno, the town of his birth, where he founded schools and spent his time transcribing his thoughts and philosophy of food and cooking. But that's another story, and I hope I'll have time, one day, to share it with you.

Ingredients (serves 6)

1 "mute" (Muscovy) duck weighing 1.8-2.2 kg (4-5 pounds)
1 large red Tropea onion
250 ml (1 cup) mulsum (white wine mixed with honey)
 - 1 tbsp Acacia honey
 - 1 cup dry white wine (Frascati by Castelli Romani)
20 prunes
10g (¼ oz) ground cumin
50g (1¾ oz) sesame seeds
White wine vinegar
Salt to taste

Ask your butcher for a "mute" (Muscovy) duck weighing in at just over 2 kg (4½ pounds). Have him chop it for you then, on your way home, pick up a shiny, red Tropea onion (if you can't find one, a normal red one will do), twenty or so large prunes, some acacia honey, some dry white Castelli Romani wine, ground cumin or even the seeds, and also some sesame seeds.

With everything you need in the bag, you can head home. Treat yourself to some bubbly from the fridge then we're all set to start our duck in plum sauce.

Pour the olive oil into a large frying pan and set over a lively flame. Before it gets too hot, add the chunks of duck, season with salt and brown thoroughly, adding a little cumin and finely chopped red onion. Remove the duck and add a rounded tablespoon of honey and a glass of dry Frascati (the mulsum) to the pan.

Soften the prunes in some warm water then toss them into the pan with the duck. Put the lid back on before cooking over a moderate flame. Leave until cooked.

If the sauce turns out too oily, add a splash of vinegar to get rid of any excess fat.

The duck in plum sauce should be served hot, sprinkled with crunchy sesame seeds. *Puntarelle* (catalogna chicory eaten since Roman times) make a great accompaniment, but if they're out of season, sautéed Roman chicory will do just as well.

It'll be a sensation, just wait and see!

Pollo con i peperoni
(Chicken with red and yellow peppers)

In Rome, we normally make chicken with peppers for lunch on the August bank holiday, or *Ferragosto* as it's called. I have to say though, keeping it for just one day a year is nothing short of murder because this dish is the living embodiment of a part of Rome that has practically disappeared. It's the spirit of generations of people who dreamt of doing something different for a day, dressing like nobility and eating like kings and they put all this into their Sunday lunch. Chicken was a luxury in itself, but with the addition of the yellow and red peppers, it became a dish fit for a king.

I started making it again right after we re-opened *Armando al Pantheon* when the August holidays were over. It was September then, it's February now, and I haven't managed to take it off the menu since. On tasting it, a client once cried out, «Hey Claudio, if I'd had this chicken and pepper dish on *Ferragosto*, my summer would've been sorted!»

Chicken with peppers, a small but simple piece of magic. Let's see how you make it.

Ingredients

1 chicken
50g (1¾ oz) guanciale (cured pig's jowl)
1 garlic clove
5-6 red-yellow peppers
½ kg (1 pound) fresh San Marzano or Casalini tomatoes
1 glass dry white wine
Salt to taste

Visit your local butcher and make sure the chicken he gives you is free-range, the kind that still has mud still in its claws; stop into the fruit shop next for a garlic bulb, five or six beefy red and yellow peppers and five or six San Marzano tomatoes.

Pick up 200g (½ pound) of premium guanciale (cured pig's jowl), it must have just the right amount of fat and a little lean meat too (200g-½ pound is a lot given that you only need 50g-1¾ oz for this recipe, but you can use the rest for a tasty gricia). Chicken is a meat course after all, and if it's an important lunch, you're going to need a pasta course too. As for the wine, I'm sure you've got some in the house.

Ready? Let's get cooking.

Slice the guanciale into strips and brown in a large frying pan with a clove of garlic. Splash with a drop of white wine, let it evaporate then add the chicken, chopped into chunks. While the chicken's browning, chop the peppers into 3-4cm (1-1½ inch) strips, blanch and peel San Marzano tomatoes and add them all to the pan with the chicken. One more splash of wine, a sprinkling of salt, then cover and leave to cook over a medium heat.

Serve the chicken hot and garnish with a sprig of rosemary.

If your dish turns out well, you and your chicken will be the toast of the day, but be careful, once tasted, you'll be asked for it again and again.

Saltimbocca alla romana
(Veal cutlets with prosciutto and sage)

Saltimbocca alla romana, which translates literally as "hopinthe-mouth", is the dish that brings me the most joy and causes me the most grief. It's so famous worldwide that clients are always requesting it. I feel a bit like famous singers must do with their biggest hit song, the one they're asked to sing at every concert and absolutely must perform, even if it's as old as the hills and has lost all appeal for them by now.

I hate making saltimbocca alla romana, but I have to admit that when I do, it's always an enormous satisfaction. Do you want to know how I make them? All the worse for you... you'll be hooked in no time.

Ingredients (serves 6)

12 slices lean veal
12 slices prosciutto dolce (dry-cured Italian ham)
12 fresh sage leaves
½ glass white wine
Butter, oil and salt to season

Ask your butcher for twelve slices of lean veal with no nerves, a knuckle or eye of round cut would be perfect. You'll need two slices, weighing about 90g (3¼ oz) each, per person which makes twelve in total for our standard party of six.

Then you'll need to get twelve regular-sized slices of prosciutto (the dry-cured one, not cooked ham) from your local delicatessen and twelve fresh sage leaves from the fruit shop or even from your garden. I hope you've already got some white wine at home.

In a large frying pan, melt the butter with a little oil over a very low heat. Lay the slices of *prosciutto* over the veal and pin a sage leaf to each one with a toothpick.

When the oil sizzles to let you know it's ready, place the saltimbocca in the pan, cook for a few minutes then turn over. Wait for another couple of minutes. Turn for the last time then, when they're nice and brown, sprinkle all over with white wine. When the sauce is nice and creamy, remove the cutlets from the pan and serve nice and hot.

Tuck in right away, because if you've stuck to the recipe, they'll be so good they'll be hopping off the plate at you, just like their name says!

Carciofi alla romana
(Roman artichokes)

Artichokes have always been a high point of the Roman and Roman-Jewish diet. They most definitely came from Ethiopia. Romans living there have always eaten them, so much so that Pliny the Elder even mentioned artichokes in his Naturalis Historia, highlighting their digestive and health benefits as well as their reputation as an aphrodisiac.

The legend states that Zeus, madly in love with but spurned by the beautiful nymph Cynara, flew into a rage and turned the girl into a vegetable. He made it resemble her in some way: green, thorny and hard on the outside, like the proud Cynara, but inside a heart as tender and sweet as Cynara's soul and the same purple as her eyes. As so artichokes came to be.

There are several different varieties of artichoke, ranging from the *spinoso Sardo* (thorny Sardinian) to the *violetto di Toscana* (purple Tuscan) and the green artichoke from Palermo, but the ones I love most are the local *Romanesco* variety, typically grown north of Rome (Cerveteri, Ladispoli) from mid-February to late May. Why do I like the *Romanesco* so much? Well, because it's large, soft and really tasty.

The richness of an artichoke and the secret to cooking it successfully lies in how you clean it. I'll try and explain how to do it, but only practice and watching someone do it will really help you to perfect the skill.

Ingredients (serves 6)

12 artichokes
150 ml (½ cup) extra virgin olive oil
1 garlic clove
Mint leaf

To stop your hands getting stained, wear a pair of disposable latex gloves so that, once protected, you can start pulling off the green, outer leaves. Then take a very sharp and slightly curved knife and start trimming the rest of the petals, spinning the artichoke round and working from the bottom up. It should look like a rose when you're finished. Carefully cut off the stalk and, hey presto, your artichokes are ready to cook.

Salt them and place side-by-side in a pan, cover them a quarter of the way up with extra virgin olive oil and three quarters with water, toss in a clove of garlic and a sprig of mint. Cover and leave to cook over a lively flame until the water has completely evaporated. Try them with a fork, if it slides in easily, they're ready.

Being very fragile now, leave the cooked artichokes to cool down so they don't fall apart when you take them out the pan... and that's you done!

Crostata di visciole
(Cherry tart)

Visciole are nothing other than the poor cousins of amarene sour cherries or the firmer duroni variety. Their distinctive acidity and bitterness combined with such a powerful flavour make them excellent for cake-making, and the crostata di *visciole* has been a firm favourite here in Rome since ancient history.

Here's how you make it.

Ingredients

400g (14 oz) visciole jam
300g (10½ oz) flour
140g (5 oz) butter
140g (5 oz) sugar
2 eggs
½ sachet baking powder

Grease a 30 cm (12 inch) baking tin and set it aside.

Combine the sugar, butter, flour, eggs and pinch of salt to make the pasta frolla (shortbread crust). Pull off a little clump of dough that you'll need later.

Line the greased baking tin with the pastry dough and spread the visciole jam over it, covering well. Now you can roll out some strips with the remaining dough and criss-cross them over the top.

Bake at 350°F (180°C) until cooked. I almost recommend it under cooked. Serve cold.

Indice degli aneddoti

Indice delle ricette

Index

Atmosphere Libri

VOLUMI PUBBLICATI

DALL'ARGENTINA
Carlos Busqued: *Sotto questo sole tremendo*

DAL BRASILE
Federico Bonassi: *Terra di nessuno*
Luis Fernando Verissimo: *Borges e gli oranghi eterni*

DAL CANADA
Linden MacIntyre: *L'uomo del vescovo*

DAL CILE
Ramón Díaz Eterovic: *L'oscura memoria delle armi*
Diego Muñoz Valenzuela: *Fiori per un cyborg*
Diamela Eltit: *Imposta alla carne*

DALLA DANIMARCA
Helle Helle: *Dai cani*

DALLA CINA
Autori vari: *Shanghai suite*

DALL'ESTONIA
Tiit Aleksejev: *Il pellegrinaggio. Una storia della prima crociata*

DALLA FINLANDIA
Mikko Rimminen: *La giornata del naso rosso*

DALLA FRANCIA
Julie Grelley: *Angeli*
Antoine Laurain: *Il cappello di Mitterrand*
Anouar Benmalek: *Il rapimento*

DALLA GERMANIA
Iris Hanika: *L'essenziale*
Tom Hillenbrand: *Frutto del diavolo. Un thriller culinario*

DAL GIAPPONE
Autori vari: *Scrivere per Fukushima*
Ekuni Kaori: *Stella stellina*

DA HAITI
Lyonel Trouillot: *I figli degli eroi*

DALL'INGHILTERRA
Ghada Karmi: *In cerca di Fatima. Una storia palestinese*

DALL'ISLANDA
Jón Hallur Stefánsson: *Il piromane*

DA ISRAELE
Orly Castel-Bloom: *Textile*
Ronit Matalon: *Il suono dei nostri passi*
Nava Semel: *E il topo rise*
Shimon Adaf: *Volti bruciati dal sole*
Alon Altaras: *Nostro figlio*

DALL'ITALIA
Leonidas Michelis: *Il ragazzo di Jànina*
Quintin Contreras: *La talpa. La verità rivelataa*
Mario Falcone: *Un'amara verità*

Roberto Agostini: *Il cuoco di Burns Night*
Francesca Palumbo: *La vita è un colpo secco*
Claudio Gargioli: *Menù letterario tipico romano*

DALLA LITUANIA
Laura Sintija Černiauskaitė: *Il respiro sul marmo*

DALLA MOLDAVIA
Vladimir Lorčenkov: *Italia mon amour*

DALLA NORVEGIA
Kjersti Annesdatter Skomsvold: *Più corro veloce, più sono piccola*

DALLA POLONIA
Magdalena Tulli: *Difetto*
Michał Witkowski: *Margot*

DALLA REPUBBLICA CECA
Jaroslav Rudiš: *Il cielo sotto Berlino*
Emil Hakl: *Genitori e figli*
Michal Viewegh: *La bio-moglie*
Michal Viewegh: *Fuori gioco*
Petra Soukupová: *Sparire*

DALLA ROMANIA
Florina Ilis: *Cinque nuvole colorate nel cielo d'Oriente*
Gabriela Adameșteanu: *Una mattinata persa*
Stelian Tănase: *Morte di un ballerino di tango*

DALLA RUSSIA
Natal'ja Ključareva: *Un treno chiamato Russia*
Andrej Gelasimov: *La sete*
Michail Elizarov: *Il bibliotecario*
Oleg Zajončkovskij: *Felicità possibile. Un romanzo del nostro tempo*
Michail Elizarov: *Cartoni*
Anna Starobinec: *Zero*
Vladimir Sorokin: *La giornata di un opričnik*

DALLA SPAGNA
Martín Casariego: *Il branco e la nebbia*
Menchu Gutiérrez: *Dietro la bocca*
Andrés Barba: *Piccole mani*
Manuel De Pedrolo: *Seconda origine*
Belén Gopegui: *Voglio essere punk*
Jorge Carrión: *I morti*
Pep Coll: *Le signorine di Lourdes. La vera storia di Bernadette*
Manuel Baixauli: *L'uomo manoscritto*
Jordi Cussà: *Il ragazzo di Sarajevo*
Rafael Balanzá: *Ti ucciderò*
Josan Hatero: *La pelle. Un bestiario di amanti*
Maite Carranza: *Parole avvelenate*

DAGLI STATI UNITI D'AMERICA
Lyn Miller-Lachmann: *Gringolandia*

DAL SUDAFRICA
Hawa Jande Golakai: *L'effetto Lazzaro*

DALLA SVIZZERA
Jürg Amann: *Il comandante*

DALL'UNGHERIA
Attila Bartis: *Tranquillità*

SAGGI
Fidel Castro: *Obama e l'Impero*
Sergio Di Cori Modigliani: *Unfuck. Per una rivolta esistenziale*
Andrea Bernardini: *I Baustelle e la canzone*